小学館文庫

孫娘からの質問状

# おじいちゃん戦争のことを教えて

中條高徳



小学館

## V　日本人の心

写真提供／毎日新聞社、中條高徳

# 舞い込んだ分厚い手紙

●まえがきにかえて

一通の手紙が届いた。孫娘の景子からである。春まだ浅い時期であった。孫娘はニューヨークにいる。父親の転勤にともない、家族で向こうに移り住んでいるのだ。家族は銀行マンである父親と私の娘である母親、それに孫娘の景子とその弟である。

父親がニューヨークへの異動の内示を受けたとき、家族はどうするかという話になった。母親は躊躇《ちゅうちょ》するふうであった。というのも、弟のほうが中高一貫教育の名門私立校に入学したばかりだったからである。難関といわれる入学試験をせっかく突破したのに、それを放って行くのはもったいない、という気持ちがあったのだろう。弟のほうも母親の迷いに引きずられたのだろう、いくらかためらう気配があった。

一も二もなく「行く、行く」と乗り出したのは、女子学習院の高等科二年に在学していた景子である。好奇心の強い子なのである。

私は、これからはさらに国際化が進展していくのだから、孫たちが十代でアメリカの生活を体験できるのは絶好の機会ではないか、名門私立校など何ほどのものではない、そんなことにとらわれているのは小さい、行け、行けとけしかけた。

　私の意見が採用されたわけではないだろうが、参考の一つぐらいにはなったのだろう。父親の赴任とともに一家四人でニューヨークに移り、一年数か月が過ぎていた。

　孫たちは、日本の学校は休学ということにして、アメリカの学校に転入した。景子が入ったマスターズ・スクールというのは、その年から男女共学になったが、それ以前は女子校で、名門校であると同時になかなかユニークな学校であるらしい。どこがユニークかといえば、一つは国際色豊かだということ、もう一つは規模が小さいことである。聞けば、アメリカ人の生徒に混じって、ヨーロッパはもちろん、アジア、アフリカと肌の色もさまざまな世界各国の生徒が多数在学しているという。なるほど、インターナショナルである。それに十二年制でありながら、全校の生徒数がわずか三百人程度だという。確かに小さい学校である。景子は自宅からスクールバスで通学しているのだが、半数ほどは寮生活をしていて、そこには先生も何人か住んでいるという。生徒一人ひとりに目が行き届いた教育をすることを特色としている、塾的な空気が漂う学校を私は想像した。松島トモ子さんもここの出身だ。

孫娘の景子は英語では苦労したようだが、十一年生に転入して十二年生になり、いまではすっかり馴染《なじ》んで学校生活を楽しんでいるふうだった。ときには、得意の数学のコンテストで第一位になったと、そのことが記事になった新聞を送ってきて、私の爺馬鹿《じじばか》心を満足させてくれたりした。

もっとも景子からの連絡は、母親がかけてきた国際電話のついでにちょっと電話口に出て口早に様子を報告したり、せいぜい葉書に数行を記してきたりする程度だった。ところが、まだ冬の気配が残るその日に届いた手紙は、かなりの分厚さである。何かおねだりしてきたのかもしれない。

開封し、さてさて、何をいってきたのやらと読み進むうちに、私は姿勢を正し、これは生半可《なまはんか》なことでは返事は書けないぞ、と気持ちを引き締めた。

孫娘の景子からの手紙は、次のようなものであった。

おじいちゃん、お元気? きょうはお願いがあってお手紙を書きます。

必修《ひっしゅう》のプロジェクトで、アメリカ史の授業を受けています。先生は

Ms.Wood《ミズウッド》。いまは一九〇〇年代に入り、第一次大戦から第二次大戦、そして朝鮮戦争、ベトナム戦争のあたりをやっています。

景子は学習院では理数系だったので歴史は選択しなかったし、あまり興味もなかったのですが、それでも中等科では毎年歴史を習ってきたはずです。ところが、縄文時代とか弥生時代とかはくわしくやるのでそれなりに印象に残っていますが、それからあとになると授業時間数が足りなくなる関係もあってだんだん駆け足になり、江戸時代になるともう猛スピードで、何が何やらほとんど覚えていない始末です。毎年その繰り返しだったような気がします。そして、明治時代から以後は、一度も習ったことがないことに気がつきます。歴史といえば縄文や弥生のあまりに古すぎる時代のことばかりだったので、それが歴史に興味が持てない一つの理由だったのかもしれません（なーんて、これはちょっと言い訳っぽいけれど）。

だけど、Ms.Wood のアメリカ史はすごくおもしろい。アメリカには縄文や弥生のような古い時代がないこともあるけれど、一九〇〇年代に入ってからもかなりの分量で、手が届くようなちょっと以前、アメリカにはこんなことがあったのかと興味がふくらんでくるのです。

それに、アメリカ史が好きになったのは、Ms.Woodに教わるから、ということもあります。マスターズ・スクールではアドバイザーというシステムがあって、四、五人の生徒に先生が一人ついて、勉強のことや生活の悩みなど何でも相談に乗り、また問題点を指摘して助言してくれるようになっているのですが、Ms.Wood は景子のアドバイザーでもあるのです。それだけではありません。景子はMs.Wood の大変なお気に入りで、ま、率直《そっちょく》にいえばひいきにしてくれるんだけど、景子にはそれがうれしくて、それでアメリカ史が好きになったということもあります。Ms.Woodが景子に目をかけてくれるのは、もちろん景子がいい子だから（?）ということもありますが、Ms.Wood はマイノリティに大変関心があって、ネイティブ・アメリカン（インディアンのことです）やアジア、アフリカにすごい興味を持っているということもあるようです。

なんて、こういうことはお願いには直接関係はないんだけれど、そのMs.Wood から課題が出たのです。一九〇〇年代に入って、第一次大戦、第二次大戦のところをやって、家族や知人で戦争を体験した人の話を聞こう、ということになったのです。戦争のなかでどのようなことを体験し、何を考えたのか、それぞれの国によっても違いがあるはずだから、それを聞こうというわけです。

とっさに景子の頭に浮かんだのは、おじいちゃんです。おじいちゃんは戦争中は軍人の学校にいて、戦後はビール会社でお仕事をしてきました。そのことをちょっとMs.Woodに話したら、すごく乗り気になって、ぜひおじいちゃんの戦争体験を聞きなさい、ということです。

おじいちゃん、お願い！　景子の質問に答えてください。別紙の質問は景子が案を考えて、それを叩《たた》き台にMs.Woodのアドバイスを受けてまとめたものです。

先にも書いたように、Ms.Woodは景子がお気に入りだし、景子も大好きな先生なので、課題には立派に応《こた》えたいと思います。

おじいちゃん、景子のためと思って、ちょっと時間をください。戦争の体験談はテープで提出してもいいことになっていますが、おじいちゃんのお話は英語にしなければなりません。テープだけだと翻訳が大変なので、テープに吹き込んだのと同じものを、面倒でも文章にも書いてください。よろしくお願いします。

MY LOVE おじいちゃん　　Keiko

マスターズ・スクールでやっている歴史教育が、アメリカのスタンダードなのかどうかは知らない。だが、一部であれ何であれ、かつて敵だった国の人間の戦争体験と考えを聞こうという、そういう授業を確かに行っているのである。私は近現代史についてはほとんど授業で教えない日本の学校における歴史教育のあり方を思い浮かべた。そこにはアメリカのしたたかさと世界の超大国としての自信がみなぎっているのを感じないわけにはいかなかった。そして、かつて敵だった国の人間の戦争体験を聞き、それを教材にして歴史認識を深めさせようとする態度に、アメリカの持つしなやかな強靭《きょうじん》さと底力の所以《ゆえん》を見たように思い、うーんとうなった。

孫娘の手紙には、細かい文字で質問が箇条書きにされた別紙が添えられていた。それを読み、私はふたたびうなった。

ほかの家庭はどうなのかは知らないが、私は家族に戦争のことを話してきたほうだと思う。しかし、その質問状にあるような系統立った話をしたことはなかった。

あの戦争体験は何だったのか。それは好むと好まざるとにかかわらず、私という人間を形成する原点になっている。そしてそれは、日本という国の歴史に組み込まれる確かな事実でもあったのだ。

だが、あの時代に体験した事実がそのままに語り伝えられているだろうか。否《いな》である。孫娘が手紙に書いているように、学校の歴史教育は江戸時代まで教えるのがせいぜいで、近現代史にはほとんど触れられていないという現実がある。そこには国際社会の情勢や政治的な思惑が働き、日本の近現代史に禁忌《きんき》めいたものを持ち込み、事実を事実として語ることをためらわせるような風潮を生み出したことが大きく作用している。

しかし、近現代史を欠いた歴史は歴史とはいえない。近現代史にブリッジされて、はじめてそれ以前の歴史は文化や伝統となって現在に息づき、力を持つことができるのである。太く力強い近現代史を持たない国は歴史を、つまりは固有の文化や伝統を持たない国であり、そういう国は根無し草でしかない。

日本はどうもそういう国になりつつあるのではないだろうか。政治や経済の分野で先行きに確信が持てず、あてどなく浮遊《ふゆう》する感覚のなかで怯《おび》えているかのような現状は、そのことの反映なのかもしれない。

孫娘の質問状をなぞりながら、私たち戦争を体験した世代が己《おのれ》の体験を何の粉飾《ふんしょく》もなく、ありのままに次の世代へ語り継ぐことがあまりにも少なかったのではないかと思った。少なくとも、私自身は断片的には語っても、系統立てて娘や孫に語ってこなかった怠慢《たいまん》を思わないわけにはいかない。

でも、まだ遅くはない。いまからでも語らなければならない。それがあの戦争を体験した私の責務であると思った。孫娘の質問状は私にその機会を与えてくれたのである。

これがアメリカの学校の課題であることはひとまず置いて、私は孫娘一人に向かい合う気持ちで、あの戦争で体験したことを、自分史を刻む気持ちで語ろうと思った。いろいろな禁忌や思惑《おもわく》にとらわれることなく、ありのままに。

といっても、私はすでに齢《よわい》七十を越えた。戦後の五十有余年《ゆうよねん》を生きてきたのである。戦争のただなかでは見えなかったものが、いまは見えているということもある。ありのままとはいっても、その後に加わった知見《ちけん》をまったく排除するわけにはいかない。

だが、それでいいのではないかと考えた。私の体験と考えは私固有のものであって、同じ戦争をくぐり抜けたとはいっても、まったく異なった体験を持ち、異なった考え方をする人もいるに違いない。その後に加わった考えや史観《しかん》も、人それぞれである。それらを含めて、それはその人のありのままなのである。それぞれの見方・考え方を含めたありのままを投げ出し合い、批判し合うところに普遍性が生まれ、その上に確かな近現代史が構築《こうちく》されていくのだ。私は質問の一つひとつを確かめながら、孫娘一人に対する気持ちで、ある種の緊迫感《きんぱくかん》に包まれながらペンをとった。

# おじいちゃんと戦争

●孫娘に答える

# I　生い立ちと陸軍士官学校

「日本は大急ぎで近代化を図り、日清・日露の戦争に勝利して、国際社会のなかでの位置を確保した……。このことは一つの雰囲気というか空気というか、そういうものを醸成《じょうせい》した。国のために尽くすには、軍人になるのが一番であり、それは人間として立派なことだという空気だ」

神宮外苑競技場で行われた学徒出陣式（昭和18年10月21日）

［質問1］
おじいちゃんが生まれたのは一九二七（昭和二）年ですよね。
おじいちゃんが生まれた環境、そのころの日本の様子はどんなふうでしたか。

## あんずの里

景子も小さいころ、おじいちゃんが生まれた家に遊びに行ったことがあるね。長野県更埴市《こうしょくし》。あんずの里として知られている。あそこが私が生まれ育ったところだ。春になるとあんずの花が一斉《いっせい》に咲いて、一帯が白くけぶったようになる。北には黒姫《くろひめ》、妙高《みょうこう》、戸隠《とがくし》の連山。思い出すだけで涙ぐみたくなるほど懐かしい。

門構えの大きな家を景子は覚えているだろう。おじいちゃんの生まれた家はいわゆる旧家で、戦前は大地主だった。戦後は農地改革で多くの土地を失い、地主ではなくなったが、そのころは田んぼなどの農地をいっぱい持っていて、それを多くのお百姓さんに貸していた。土地を借りて耕作しているお百姓さんを小作人《こさくにん》といった。小作人は土地を耕作して収穫したなかから、賃貸料《ちんたいりょう》を現物で地主に納める。主に米が中心で、これを小作米《こさくまい》といった。秋の収穫が終わると、お百姓さんが小作米の米俵を荷車に積んで納めにきたものだ。

私はそういう家の、女四人男二人の六人きょうだいの末っ子に生まれた。腕《わん》といえば、両親に甘やかされ、ちやほやされて育ったわがままいっぱいの腕白《ぱく》坊主を想像するに違いない。確かにおじいちゃんは、多分にそういうところのある子どもだったようだ。

そんな私が、わがままな腕白のままおとなにならなかったのは、ほかでもない、あの戦争で痛烈《つうれつ》な挫折《ざせつ》を体験したからだ。そのことは景子の質問に答えるなかで、追々《おいおい》語っていくことにしよう。

私は恵まれた環境のなかで育ったが、そのころの日本はまだまだ貧しかった。経済力がいまとは比べものにならないほど弱かったのだ。その上、おじいちゃんが生まれた一九二七（昭和二）年は日本経済に金融不安が生じ、倒産が続出して失業が増大、不況の入り口に差しかかって社会不安がふくらんでいた時期であった。現象的には、バブル経済の崩壊《ほうかい》後、膨大《ぼうだい》な不良債権を抱えて金融不安に陥り、不振に沈んでいる現在の日本経済の状況と似ていなくもない。

景子は日本の近代史を学んでいないというから、当時の経済状況の背景に少し触れておこう。

## 「大学は出たけれど」

私が生まれる少し前、一九二三（大正十二）年、日本は関東大震災に見舞われ、首都圏が壊滅《かいめつ》状態に陥った。死者約九万人、行方不明約四万五千人といえば、被害の大きさが知れるだろう。当時、東京の下町は木造家屋がほとんどだったから、地震で起こった火災が広がって火の海となり、被害を大きくしたのだ。政府はその復興のための資金調達に、震災善後処理公債を発行した。また、震災のために流通困難になった銀行所有の手形を日本銀行が再割引し、そのために日銀が被る損失を政府が補償する、いわゆる震災手形の措置を行った。

おじいちゃんが生まれたころは、その震災手形の整理に入る時期になっていた。帝国議会（当時の国会）は一九二七（昭和二）年三月に震災手形整理に関する法案を審議した。そのとき、ある大臣が震災手形を保有している銀行の経理内容が悪化していることを口にしてしまった。

不安を感じた預金者が銀行の窓口に殺到した。この取り付け騒ぎで当時有力な金融機関だった渡辺銀行や台湾銀行、それに鈴木商店などが破綻《はたん》し、恐慌《きょうこう》が一気に全国に拡大していくことになった。

しかし、これはきっかけにすぎない。その背後には、輸出が振るわず輸入が増大する一方で国際赤字がふくらむという貿易事情があった。そこに金融の破綻が一挙に噴《ふ》き出して、日本は深刻な不景気に見舞われることになったのだ。

そして、有名なブラック・サーズデーがやってくる。これは景子もアメリカ史でMs.Wood から詳《くわ》しく教わったに違いない。一九二九（昭和四）年十月二十四日、ニューヨーク・ウォール街の株式市場が暴落《ぼうらく》し、世界恐慌に拡大したのだ。その波は日本にも及んで、さらに経済を停滞《ていたい》させることになる。これは世界の資本主義国が遭遇《そうぐう》した最初の困難だったといっていい。資本主義はこの困難に学んでいろいろな知恵を身につけ、修正を加えていくのだが、それはまた別の話だ。

そのころはテレビなどなかったから、娯楽の王様は映画だった。当時作られた日本映画に、『大学は出たけれど』というのがあった。おじいちゃんはそれを見たわけではないが、B級娯楽映画で大した作品ではなかったらしい。だが、この映画のタイトルは流行語になった。いまはほぼ全員が高校に進学し、同世代の半数近くは高等教育を受けるという状況になっているが、当時はまだまだ高等教育を受ける者は少なく、大学を出れば即エリートと見なされる趣《おもむき》があった。ところが、大学を出ても就職口さえない。「大学は出たけれど」は、まさに当時の不景気を反映した流行語だったのだ。

## 臥薪嘗胆

その一方で、満州事変《まんしゅうじへん》が勃発《ぼっぱつ》する。一九三一（昭和六）年のことだ。中国の東北地区は当時満州と呼ばれていたが、その満州に敷設《ふせつ》されていた満鉄《まんてつ》の鉄道が奉天《ほうてん》（いまの瀋陽《しんよう》）郊外の柳条湖《りゅうじょうこ》付近で爆破される事件が起こった。だれがやったのか。中国の共産軍がやったともいうし、日本軍がやったともいう。真相には諸説があるが、それはともかく、これをきっかけに日本軍は満鉄の安全確保のため、沿線に沿って満州に進出した。これが満州事変だ。

どうしてこういうことになったのか。その背景は複雑だ。整理して説明するのは、歴史の専門家ではない私には難しい。詳しいことはお母さんに聞くといい。景子のお母さんは学習院大学の史学科出だ。専門は中世史だから近代史はそれほどでないかもしれないが、それでも歴史を勉強したのだから、私よりはましだろう。というわけで、ここでは私が理解している範囲だけを述べておこう。

満州事変にいたった背景ははっきりしている。明治維新によって近代国家に踏み出した日本にとって、常に頭から離れなかったのは帝政《ていせい》ロシア、そして旧ソ連の脅威《きょうい》だった。ソ連は帝政ロシア以来、一貫して南下政策《なんかせいさく》を取り続けてきた。北に位置するこの国は、冬凍《こお》らない港を持たない。不凍港《ふとうこう》を求めて南へ進出しようとするのは、あの国の国家的衝動といっていいものである。常に策をめぐらし、仕掛けをして、南への進出を図ってくる。

世界地図を広げてみたまえ。日本の西には日本海を隔ててロシア、つまりソ連がでんと控えている。そのソ連が蒙古《もうこ》、満州、さらには朝鮮半島への進出をうかがって、国境の軍事力を強化している。帝政ロシアも、そのあとに誕生したソ連も大国だ。その影響力が次第に日本に近づいてくる。これが近代国家として歩き出した日本にとって大きな脅威だったことは、景子にもうなずけるだろう。

明治生まれの人たちは、自分たちの手で自分の国を創り出したという実感を持っていた。明治の人たちにとって国はまさに自分の作品だったのだ。景子もそれが上手《うま》かろうと下手《へた》だろうと、絵や習字など自分の作品に愛着を持つだろう。明治の人たちにとって、自分の作品である国を愛する気持ち、つまり愛国心は極《きわ》めて自然な感情だったのだ。その愛する日本列島にユーラシア大陸から朝鮮半島がドス（短刀）のように突き出している。その朝鮮半島を伝って北から不気味な勢力がひたひたと迫ってくる。そのことに脅威を感じる。愛国心を備えた明治生まれの人たちにとっては、これもまた極めて自然な感情だったのだ。

この脅威を少しでも小さくするにはどうしたらいいか。日本とロシアの間に独立した近代国家が存在すれば、脅威はいくらかは和《やわ》らぐ。そのために日本は李《り》王朝《おうちょう》が統治していた朝鮮に働きかけた。しかし李王朝の朝鮮は、当時中国を支配していた清朝《しんちょう》に従属的な姿勢を取り続け、一向に独立した近代国家に脱皮しようとしない。その摩擦から起こったのが、一八九四（明治二十七）年の日清戦争だ。日本はこれに勝利、翌一八九五（明治二十八）年に講和《こうわ》条約が調印され、遼東《りょうとう》半島が日本に割譲《かつじょう》された。日本には遼東半島を領有《りょうゆう》して中国大陸に橋頭堡《きょうとうほ》を築き、ロシアの南下政策に備える意図があった。

ところが、フランス、ドイツ、ロシアの三国が、日本の遼東半島領有はまかりならん、放棄せよ、と干渉してきた。これが三国干渉《さんごくかんしょう》といわれるものだ。当時この三国は、中国大陸に権益《けんえき》を拡大しようとしていた。だから日本が遼東半島に出てきては具合が悪い。そこで三国が足並みを揃《そろ》えて干渉してきた、というわけだ。だが、当時の日本にはこの理不尽《りふじん》な干渉をはねのける力はまだなかった。日清戦争に勝ったとはいえ、当時強国だったフランス、ドイツ、ロシアに武力で対抗するには、まだまだ弱かったのだ。だから、涙を飲んで干渉を受け入れ、引き下がるほかはなかった。

　そのころしきりに「臥薪嘗胆《がしんしょうたん》」ということがスローガンのようにいわれたという。これは中国の故事《こじ》から出た言葉だが、薪《まき》の上に臥《ふ》し、肝《きも》を嘗《な》め、屈辱《くつじょく》を忘れずに苦しい試練に耐えるという意味だ。三国干渉に対する国民の感情がしのばれる。

　この結果、清朝の勢力が退き、朝鮮半島に空白が生じた。そこに影響力を強めてきたのがロシアだ。ロシアが三国干渉に加わったのは、それが狙いでもあったのだ。李王朝の朝鮮には親ロシア派が擡頭《たいとう》してきた。それでは日本にとってますます脅威が強まることになる。そしてついに、日本はロシアと正面からぶつかることになった。それが一九〇四（明治三十七）年にはじまり、翌年に日本の勝利で終わった日露戦争だ。

　しかし、それでロシアの脅威は消えたわけではない。それどころか、ロシア革命によって誕生したソ連の南下政策は一層露骨《ろこつ》になり、脅威は逆に強まった。これに対抗するには、日本の力を北に延ばしていく以外にはない。そして、日本は朝鮮を併合《へいごう》し、さらに満州に進出して満州国を独立させることになる。

いまから振り返ると、おじいちゃんが四歳のときに起こった満州事変は、日本がアメリカと対立し、多くの悲惨をもたらした太平洋戦争に突入していく直接のきっかけだったと思う。満州事変でとった日本の行動は世界各国の非難を浴び、日本はついには国際連盟から脱退して国際社会から孤立して、戦争への道を歩んでいくことになったのだ。

日本にはもっと賢明《けんめい》な選択肢《せんたくし》があったのかもしれない。たとえば、満鉄を共同経営しようというアメリカの鉄道王ハリマンの提案をそのまま受け入れていたら、昭和の歴史は大きく変わっていたのではないかとおじいちゃんには思えてならない。しかし明治以後、近代国家として日本がとった国家行動には、常にソ連の脅威に対して国の安泰《あんたい》をどう保つかという思いが基本にあったことを忘れてはならない。日本の近代史を学ぶのに、景子もこのことを念頭に置くようにすることだ。そうすれば、日本の歴史がより明快に理解できるだろう。

## 自然いっぱいの山野

私が生まれ育った時代はどういうものだったかを述べてきた。経済的には不景気に沈み、戦争の足音が近づいてくる。概括《がいかつ》すれば、そういう時代だった。このように述べてくると、暗い時代だったということになるのかもしれない。だが、子どもだったおじいちゃんは、こういうことは当然ながら何も知らなかった。田舎だったせいかもしれないが、おじいちゃんの記憶にあるそのころは、ずいぶんのんびりして、のどかだったような気がする。

全体的に見て、確かに貧しいことは貧しかった。いまと比較しての話だが、着るものも食べるものも住んでいる家も粗末《そまつ》だった。だが、着ているものが粗末でも、食べるものが貧弱でも、そんなことは子どもの世界にはあまり関係がない。マンガの本もテレビゲームもなかったが、その代わりに身の回りには自然がいっぱいあった。野山を駆け回れば、遊びの種は尽きなかった。いまのように受験戦争も偏差値もなかったから、子どもたちは学校から帰れば、家の手伝いをするほかは、みんな遊びに夢中だった。鼻たれ小僧（実際に鼻をたらしている子どもがいたんだよ）が多かったが、みんな元気いっぱいだった。私もそんな子どもの一人だった。

日本の近代史関係の本を読むと、そのほとんどに「日本は昭和のはじめごろから戦争に向かって暗い時代に突入していった」ということが書いてあるが、実をいうと、これがおじいちゃんにはピンとこないのだよ。あのころを思い出すと、すべてが楽しく、毎日が黄金色《こがねいろ》の光彩《こうさい》に包まれていたような気がするほどだ。

もっとも、それは私が恵まれた環境にいて、子どもだったせいかもしれない。日本人のほとんどが中流意識を持っている現在とは違って、あのころは経済的に苦しい思いをしている人がもっと多かったから、そういう環境で子ども時代を過ごした人は、また違った感想があるのかもしれないが。

［質問2］おじいちゃんが受けた義務教育は、どんなものでしたか。

## 戦前の学制は複線型

まず戦前と戦後の学制について述べておこう。

いまは六・三・三・四制で、そのうちの六・三の九年間が義務教育とされている。これは戦後の教育改革でこうなったのだが、戦前の学制に比べると、単線的だといえるようだ。

戦前は尋常《じんじょう》高等小学校があり、尋常科の六年が義務教育、その上に高等科が二年ないし三年となっていた。一九四一（昭和十六）年に国民学校に改称され、尋常科は初等科、高等科はそのまま高等科ということになったが、中身は同じと考えていい。

戦前の学制はこの義務教育のあとの中等教育、さらに高等教育が細かく枝分かれしていた。義務教育の最初の六年間を終えると中等教育に進むことになるが、ここで普通中学と工業学校や商業学校などの実業学校に分かれることになる。もっとも、いまは六・三の義務教育を終えると九〇%を超える生徒が中等教育である高校に進学し、実質的に高校が義務教育化しているが、戦前は中等教育に進む生徒はずうっと少なかった。確かな数字は知らないが、普通中学、実業学校を含めて五〇%に満たなかったのではないだろうか。私が育ったところは田舎だったからだろうが、中等教育に進んだのはほんのひと握りだったような気がする。

中等教育に進まない子どもは、そのまま小学校の高等科に通って二年間で卒業し、社会に出る。こういうこともあった。小学校六年で中学校を受験し、不合格になったとする。そういう子どもは高等科一年あるいは二年からも中等教育を受験することができた。つまり再挑戦する機会が学制のなかに組み込まれていたということだ。

中等教育は普通中学、実業学校ともに五年間だった。普通中学は総合的な教育をするのが主で、卒業すると旧制の高校に進むか、または私立大学の予科から本科に進むか、あるいはそのまま社会に出るかだった。優秀な生徒は四年修了で高等教育に進学することもできた。いわゆる飛び級制度だ。

旧制高校はいわば指導層を養成するエリートコースで、その定員は帝国大学と称された国立大学の定員とほぼ同じだった。だから、旧制高校に進学すれば、よほどひどくない限り、どこかの国立大学への進学が保証されたようなものだった。そこから旧制高校独特の気風が生まれるのだが、それはのちに触れる。

実業学校の上には高等工業や高等商業などの高等専門学校があった。このコースはテクノクラート、実務家を養成するのが目的だった。高等専門学校には普通中学からも進むことができた。

そのほかに義務教育を終えると進学できる師範《しはん》学校のコースもあった。これは初等教育の先生を養成するのが目的だった。師範学校には普通中学からも進むことができた。中等教育の先生を養成するためには高等師範学校があった。

これが文部省が管轄《かんかつ》した戦前の学校制度のおおよそだ。

そのほかにも、文部省の管轄外の学校があった。たとえば、陸軍省や海軍省が管轄した軍人養成の学校だ。陸軍では中学一年修了時から進学できる陸軍幼《よう》年《ねん》学校にはじまって、その上に陸軍士官《しかん》学校、そして陸軍大学校、海軍には海軍兵学校《へいがっこう》があった。陸軍士官学校や海軍兵学校には普通中学の四年、あるいは五年から進むことができた。おじいちゃんは中学四年を修了して陸軍士官学校に進んだわけだが、これもあとで詳しく述べることになるだろう。

このように見てくると、戦前の学制は戦後のそれに比べて複線的だったといえる。さまざまなコースがあり、いろいろな道筋を選択することができた。

## 平等を機械的にとらえている戦後の学制

戦後の六・三・三・四制の学制は人間は平等だという強い意識に立ったものである。人間は平等なのだから、学校のコースをいろいろに分けたりせず、同じ教育を受けるのがいいのだ、という考えに立っている。

しかし、それが本当の平等だろうか。景子も自分自身を、そして友だちなどを眺《なが》めて、人間にはいろいろな個性があり、能力の違いがあり、適性《てきせい》があるということを感じているだろう。その違いを無視して学制を単線にし、みんな同じ教育を受けられるから平等だという考えはどうだろうか。私は疑問に思っている。単線的な学制は人間はみんな同じという前提に立っている。しかし、人間としての価値や権利は同じでも、個性や得意とするものの能力や適性が同じでないことは、景子も感じているとおりだ。それを無視してしまうのは、平等の考え方があまりにも機械的だと私は思う。

だれもが同じ教育を受けるのが平等であるという考え方に基づいたいまの単線的な学制が、個性を無視した偏差値《へんさち》教育となり、不必要に過熱した受験戦争となって、教育のあり方をゆがめている根本原因ではないだろうか。おじいちゃんはそのように考える。

といって、おじいちゃんは戦前の学制をそのまま復活すべきだなどといっているのではない。ただ、人間一人ひとりの個性と能力と適性を生かすためには、戦前の学制の考え方を参考にする必要があるといいたいのだ。エリートコースやテクノクラート的な実務者コースを分けるというと、人間を選別する封建的な制度の復活だとか、不平等だとかいった非難がすぐに飛んでくる。だが、本当にそうだろうか。さまざまな個性と能力を持つ人間を一律にとらえることこそ、人間の可能性を押しつぶす不平等ではないだろうか。

平等とは、一人ひとりの人間がそれぞれの個性と能力を十分に発揮して生きられるということだ。そのためには、いくつかの段階で一人ひとりがそれぞれの適性を見極め、その適性に見合ったコースを選択できるようにすることが大切なのではないだろうか。さらには、敗者復活の機会も制度のなかに用意しておく。それが人間の本質にかなった平等な制度だと思うし、人間的な優しさのある制度だと思う。景子はどう考えるだろうか。

## 学校と地域社会

学制について述べてきたが、それはこれから述べることの前提だ。私の受けた義務教育、つまり小学校の教育はどんなものだったかという質問に答えなければならない。

明治維新によって近代化に踏み出した日本は、当時の先進国である欧米列強に追いつくために、やるべきことがいっぱいあった。そのなかで、教育制度を整備し、義務教育を普及することは、すべての基礎となる重要な柱の一つだった。

日本の近代的学校制度は、一八七二（明治五）年の明治政府の太政官布告《だじょうかんふこく》にはじまる。その布告に「邑《むら》に不学《ふがく》の戸《こ》なく、家に不学の人なからしめん事を期す」とあるように、まず全国民に教育を施《ほどこ》すことを目的として、最初は小学校を四年制として義務教育の整備を急いだ。すると、驚くべきことが起こった。全国津々浦々《つつうらうら》まで小学校がたちまちでき、ほとんどの国民が義務教育を受けるようになるのに、さして時間がかからなかったのだ。この義務教育の普及のスピードは世界的に見ても群《ぐん》を抜くもので、注目すべき事柄である。

そうなったのには土壌《どじょう》がある。

一つは国民性である。日本は資源に乏しく、国土が狭い。だが、四季がめぐる豊かな自然がある。こういう風土では勤勉《きんべん》に働けば実りを手にし、豊かに暮らすことができる。この風土が勤勉という日本人の国民性を培《つちか》った根本だ。

もう一つを挙げれば、江戸時代の文化的成熟がある。江戸時代の鎖国《さこく》三百年は封建制のもとで停滞した社会のように思われるが、そうではない。より豊かに多くの人間が秩序を保って平穏《へいおん》に生活していくためには、勤勉とともに知恵が必要であることを人びとは知っていた。江戸時代、公的な教育機関としては各藩が設けた藩校《はんこう》があったが、それは武士階級だけのものだった。商人や農民といった一般庶民は生活の知恵を身につけるために、私塾で学んだ。私塾はお寺に置かれることが多かったので、寺子屋《てらこや》と呼ばれた。そこで学んだ生活の知恵とは、いわゆる「読み、書き、ソロバン」であり、礼儀をわきまえ、年長者を尊敬し、きちんとした常識のある生活習慣を身につけること、すなわち「しつけ」だった。そのための教科書となったのは、主に孔子《こうし》などの教えを中心とした中国古典だった。そこから、親には孝行《こうこう》、主君（国）には忠義《ちゅうぎ》を尽くすといった人間の徳目《とくもく》も養われた。

一説によると、江戸時代末期には寺子屋のような私塾が全国に二万を超えていたという。学歴などはまったく問題にならず、義務でもなかったのに、寺子屋が全国に二万以上もあり、そこに多くの農民や商人の子どもが通って学んでいたというのは、実に驚くべきことだし、素晴らしいことだ。だから、江戸時代でも日本人の識字率は意外に高かったのだ。確かなデータはないが、近代化以前の世界で、識字率の高さは日本がトップクラスではなかったろうか。文字を使いこなし、ソロバンで加減乗除といった基礎的な計数《けいすう》の知識を備え、しつけを身につけ、人間としての徳目を心得ている。こういう教養の広い基盤があったから、鎖国で世界からは閉ざされていたとはいえ、江戸時代には日本独自の文化が豊かに花開くことにもなったのだ。風土に根ざした勤勉という国民性、そこから培われた教養への意欲、これは日本人として誇りにしていいことだと思う。

明治になって義務教育が急速に普及したのは、こういう土壌があったからだ。もちろん、義務教育が普及したからといって、校舎が建てられ、備品が整えられ、教員が確保されたというわけではない。お寺の本堂や神社の境内《けいだい》を使って授業をするといったところも多かったし、教員も資格制度が整っていなかったから、寺子屋の師匠《ししょう》がそのまま先生になって教えるといった具合だった。国家の近代化を進めるには膨大《ぼうだい》なお金が必要だったから、校舎建築の予算不足は当たり前だった。すると、自分たちの町や村に学校を建てなければということで、人びとがお金を出し合い、あるいは労力を出して、校舎を建築するところも多かった。全国いたるところにそういう話が残っている。

こういうわけだから、自分たちの町や村にある小学校に対して、人びとは「自分たちの学校」という意識を多分《たぶん》に持っていた。ましておじいちゃんが子どもだったころは、地域社会には共同体意識がまだまだ強く残っていた。人びとがお互いにそれぞれの役割を果たして協力することで地域社会が成り立ち、生活が成り立つという意識だ。事実、それは単なる意識だけではなく、特に農村などにおいては地域社会が協同しなければ、農作業が回転せず、生活に差し支えたのだ。

そういう地域社会で生きている人びとが、小学校を自分たちのものと感じている。だから、小学校は地域社会の中心といった趣が多分にあった。小学校の運動会や学芸会などのイベントは、地域社会を挙げての行事といった感じだった。

こういう空気だったから、小学校の子どもたちは地域社会全体の子どもとしてとらえる気風もあった。たとえば、よく勉強ができる子どもが、家が貧しくて上の学校に進学できない。すると、その地域社会の篤志家《とくしか》が学費を援助して進学させる、といったことがよくあったものだ。このことは、人びとの子どもたちに対する態度にもよく表れていた。子どもの遊びに悪さはつきものだ。やってはいけないことをしている子どもを見かけると、自分の子、他人の子の区別なく人びとは厳しく叱《しか》り、やっていいこととといけないことをわからせるようにしたものだ。また、家の手伝いをやる感心な子どもは、これも自分の子、他人の子の区別なく褒《ほ》めたたえ、励ました。

このような雰囲気のなかに小学校は存在し、義務教育が行われていた。思えば、これは幸福なことだった。いまはどうだろう。日本は経済的に成長発展したが、それと引き換えに、地域社会の結びつきを失ってしまったようだ。そこに住んでいることと生活を成り立たせることが無関係になった。そこに住んでいるのは生活を成り立たせるために必然性があるものではなく、別の場所に住んでも一向に差し支えないというわけだ。こういう状況では一人ひとりがばらばらでも、何も困ることはない。つまり、地域社会が壊《こわ》れてしまったのだ。こうなると、その地域にある小学校や中学校にも愛着がなくなり、目に入るのは自分の子どもだけで、よその子は関係がない、という具合になっていっても不思議はないのかもしれない。校内暴力やいじめなどの問題が渦巻く小中学校の様子を見聞きすると、子どもたちが孤立していると思わないわけにはいかない。

そしてそれは、地域社会が壊れてしまったことと無関係ではないだろう。

電車のなかで子どもが座席に靴《くつ》のままあがったり、そのへんをうるさく動き回ったり、傍若無人《ぼうじゃくぶじん》に振る舞って周りに迷惑をかけている。だが、母親は知らん顔。みんなが顔をしかめているのに気づいているのかいないのか、平然として自分は雑誌を読んでいたりする。ときに、見かねて子どもに注意する人がいる。すると逆に母親が、余計《よけい》なお世話とばかり注意した人に文句をつけたりする。最近、よく見かける光景だ。これも周りと無関係になり、自分さえよければという風潮《ふうちょう》が強くなった表れだろう。こういう場合、アメリカではどうだろうか。もちろん、母親は厳しく叱ると思うのだが。

最近の風潮は、おじいちゃんが小学生だったころとはまったく違っているということだ。このようなことは、子ども自身にとっても、その子どもが担《にな》っていく未来の社会にとっても、いいことではない。なんとかしなければならない。どうしたらいいのか。

戦前の小学校のあり方などを参考に、義務教育の問題と地域社会のあり方を見直してみることが、危機が云々《うんぬん》されている日本の教育を立て直すのに不可欠であることは確かだ。これは景子の質問とは直接関係がないことだが、きみの世代が考えなければならない課題でもあるだろう。

## 学校教育の基本「教育勅語」

さて、おじいちゃんが通った小学校も、地域社会のこういう雰囲気に包まれていた。そこで行われた教育の中身だが、それはレベルは異なっても、いまとさして違いはないだろう。印象に残っていることをいえば、やはり江戸時代の寺子屋からの伝統を引くものだったのだろう、いわゆる「読み、書き、ソロバン」、つまり国語と算数に随分《ずいぶん》力が注がれていた。これは日本人として生きていく基礎知識だから、当然だろう。

しかし、いまと大きく違っているものがあった。それは「修身《しゅうしん》」という授業があったことだ。それが義務教育の中心であり、全科目の基本になるものだったといっていいかもしれない。「修身」はいまの「道徳」や「社会」で学ぶものに重なっているかもしれないが、単にそれだけではない。道徳的な徳目を教えることはもちろんだが、その徳目を通して日本の歴史や伝統を感じさせ、日本国民としての自覚を養い、一人ひとりに人生と生き方を考えさせ、国益《こくえき》に尽くしてそれぞれの生き方を全《まっと》うさせるように導く、そういう総合科目だったといっていい。いまふうにいうなら、日本国民としての独自性を確立させるための基礎哲学、それが「修身」だったような気がする。

実は、「修身」をはじめとする戦前の義務教育には、しっかりとした基本理念があった。それが「教育勅語《ちょくご》」だ。正しくは「教育ニ関スル勅語」という。これは一八九〇（明治二十三）年十月、明治天皇が国民に教育の目的と理念を示すという形で発布《はっぷ》されたものだ。参考に全文を掲げておく。

教育《きょういく》ニ関《かん》スル勅語《ちょくご》

朕惟《ちんおも》フニ我《わ》カ皇祖皇宗《こうそこうそう》国《くに》ヲ肇《はじ》ムルコト宏遠《こうえん》ニ徳《とく》ヲ樹《た》ツルコト深厚《しんこう》ナリ我《わ》カ
臣民《しんみん》克《よ》ク忠《ちゅう》ニ克《よ》ク孝《こう》ニ億兆《おくちょう》心《こころ》ヲ一《いつ》ニシテ世世《よよ》厥《そ》ノ美《び》ヲ済《な》セルハ此《こ》レ我《わ》カ
国体ノ精華《せいか》ニシテ教育《きょういく》ノ淵源《えんげん》亦《また》実《じつ》ニ此《ここ》ニ存《そん》ス爾《なんじ》臣民《しんみん》父母《ふぼ》ニ孝《こう》ニ兄弟《けいてい》ニ友《ゆう》ニ
夫婦《ふうふ》相和《あいわ》シ朋友《ほうゆう》相信《あいしん》シ恭倹《きょうけん》己《おの》レヲ持《じ》シ博愛《はくあい》衆《しゅう》ニ及《およ》ホシ学《がく》ヲ修《おさ》メ業《ぎょう》ヲ習《なら》ヒ以《もっ》

テ智能《ちのう》ヲ啓発《けいはつ》シ徳器《とくき》ヲ成就《じょうじゅ》シ進《すすん》テ公益《こうえき》ヲ広《ひろ》メ世務《せいむ》ヲ開《ひら》キ常《つね》ニ国憲《こくけん》ヲ重《おもん》シ国《こく》法《ほう》ニ遵《したが》ヒ一旦緩急《いったんかんきゅう》アレハ義勇《ぎゆう》公《こう》ニ奉《ほう》シ以《もっ》テ天壌無窮《てんじょうむきゅう》ノ皇運《こううん》ヲ扶翼《ふよく》スヘシ是《かく》ノ如《ごと》キハ独《ひと》リ朕《ちん》カ忠良《ちゅうりょう》ノ臣民《しんみん》タルノミナラス又《また》以《もっ》テ爾祖先《なんじそせん》ノ遺風《いふう》ヲ顕彰《けんしょう》スルニ足《た》ラン

斯《こ》ノ道《みち》ハ実《じつ》ニ我《わ》カ皇祖皇宗《こうそこうそう》ノ遺訓《いくん》ニシテ子孫臣民《しそんしんみん》ノ倶《とも》ニ遵守《じゅんしゅ》スヘキ所之《ところこれ》ヲ古今《ここん》ニ通《つう》シテ謬《あやま》ラス之《これ》ヲ中外《ちゅうがい》ニ施《ほどこ》シテ悖《もと》ラス朕爾臣民《ちんなんじしんみん》ト倶《とも》ニ拳拳服膺《けんけんふくよう》シテ咸《みな》其徳《そのとく》ヲ一《いつ》ニセンコトヲ庶幾《こいねが》フ

明治二十三年十月三十日

御名御璽《ぎょめいぎょじ》

耳慣れない文体だし、句読点《くとうてん》はないし、漢字は多いし、景子にはチンプンカンプンかもしれない。だが、おじいちゃんはあえて口語訳は記さない。難しい字句は一語一語辞書を引いて調べ、意味をつかむようにしなさい。これはおじいちゃんから景子への宿題だ。

小学校の三、四年ごろだったと思うが、この「教育勅語」をおじいちゃんたちは暗記させられた。もちろんいまの景子同様に、どういう意味なのか、まったくチンプンカンプンだった。だが、わけがわからなくてもどうでも、頭から暗記させられた。「朕惟フニ我カ皇祖皇宗国ヲ肇ムルコト宏遠ニ……」と何度も繰り返し、覚えていくわけだ。そういえば、「教育勅語」に限らず、私のころの授業には、わけがわかってもわからなくても、頭から暗記するということが多かったように思う。アメリカではこんなことはやらないだろうし、日本でもいまではあまりやっていないに違いない。

わけがわからないままに丸暗記させるのは、不合理のように思える。ところが実際は、こういう教え方は特に子どものときは案外効果があるものなのだ。「読書百遍意自ずから通ず」《どくしょひゃっぺんいおのずからつうず》というだろう。覚えようと何度も繰り返しているうちに、自然と言葉の意味がわかってくるものなのだ。もちろん、すぐにわかるというわけにはいかない。時間がかかる。だが、時間がかかる分だけ、その意味が身にしみるようになる。嘘《うそ》だと思ったら、景子も試してみるといい。

それに不思議なもので、子どものときに覚えたことは忘れない。おじいちゃんもここ何年も「教育勅語」など唱えたことがなかったが、この手紙を書くた

黄金色の少年時代（左が私）

めになぞり返してみた。すると、不思議なほどすらすらと言葉が浮かび、その意味が身にしみ込んできて、自分でも驚いたほどだ。子どもにとって難解な、しかしぜひとも理解して身につけなければならないような語句や事柄は、わけがわからなくともまず丸暗記する。こういう教育法も見捨ててはならないと改めて思ったね。

この「教育勅語」には、教育とは何か、何のために教育をするのか、その理念と目的が簡潔な言葉で余すところなく表現されている。戦前の教育は義務教育から高等教育まで、この「教育勅語」が示す理念と目的に基づいて行われたということだ。

ところで、景子は「教育勅語」の内容を理解したら、どう思うだろうか。これは天皇陛下が国民に示すという形のものだから、当然主語は天皇になっている。景子の世代ではその点がひっかかるという人もいるかもしれない。それなら、天皇が主語になっている部分を、日本国とか日本国民とかに置き換えて読んでみるといい。天皇は日本という国の国民統合の象徴なのだから、主語を置き換えても意味がずれることはない。

するど、どうだろう。内容が少しも古びていないばかりか、まさに教育とはここに示されているとおりであり、このような目的で行われなければならない、ということがわかるに違いない。

いまの日本の教育の基本になっているのは、教育基本法だ。しかし、景子も読んでみればわかるが、非常に抽象的《ちゅうしょうてき》で、しかも人間の〝個〟の部分のみが強調され、〝公〟の部分はまったく無視されたものになっている。人間は〝個〟のみで生きることはできない。極論すれば、〝個〟のみで生きられるならば、教育などは必要ない。〝個〟と〝公〟、この二つを調和させて生きるのが現実であり、大切なことなのだ。

それに教育基本法はその名のとおり、法律である。法律は大切なものだが、同時に限界があることを知らなければならない。教育基本法のこの法律としての限界と〝個〟のみに視点を置く考え方が、日本の教育を混乱させている一因になっている、と私は思う。

「教育勅語」の精神を現代に蘇《よみがえ》らせ、教育とは何か、何のために行うのかを、もう一度根本から問いなおす必要がある、とおじいちゃんは考えている。

［質問3］
おじいちゃんはなぜ、軍人の学校に進んだのですか。

**欧米列強の脅威**

おじいちゃんは旧制屋代《やしろ》中学四年から陸軍士官学校に進んだ。軍人たらんと志したわけだ。なぜ、軍人になろうとしたのか。それを説明するためには、明治維新以来の日本の近代史について述べなければならない。

［質問1］に答えるなかで、維新以後の日清、日露の戦争や満州事変についてちょっと触れた。あのくだりを読んで、景子はどう感じただろうか。国と国と

の間にもめごとが生じると、すぐに武力を持ち出して衝突し、勝ったほうは負けたほうから領土を分捕《ぶんど》ったり、軍隊を駐留《ちゅうりゅう》させたりする。いまと比べると、荒っぽいなあと思ったかもしれない。

武力などの手段で他国を侵し、その領土を植民地にしてそこから利益を吸い上げる。簡単にいえば、これを帝国主義という。日本が明治維新を成し遂げて近代国家に脱皮したころは、まさにこの帝国主義が世界をおおう風潮の主流だった。まずこのことを踏まえておかなければならない。

日本が江戸時代の三百年、徳川幕府のもとで平穏無事だった幕藩《ばくはん》体制を捨て、維新という革命を起こさなければならなかったそもそも、世界をおおっていた帝国主義の脅威《きょうい》を感じたからだ。

一八五三（嘉永《かえい》六）年、アメリカのペリー提督《ていとく》が四隻の黒船を率いて浦賀《うらが》沖に姿を現した。この黒船来航によって、維新の波が大きくうねるようになった。しかし、それはきっかけにすぎない。それ以前から心ある日本人は大きな危機感を抱いていたのだ。その危機感の直接の原因になったのは、阿片《あへん》戦争である。

阿片戦争とは、一八四〇（天保《てんぽう》十一）年から二年間にわたって、清国《しんこく》とイギリスの間で戦われた戦争だ。当時、鎖国していた清国は広東《かんとん》一港だけを開いてイギリスと貿易していた。貿易の主要商品はイギリスが毛織物、清国が生糸や茶だった。ところが、この貿易はどうしてもイギリスの輸入超過《ちょうか》になってしまう。そこでイギリスは阿片を清国に輸出した。そのために、清国から大量の銀が流出し、おまけに阿片吸飲《きゅういん》の害毒に悩まされるようになった。清国が阿片の輸入を禁止し、命令に応じないイギリス商館を封鎖して阿片を没収したのは当然である。そして、ついに戦争となったのだ。イギリスは麻薬の阿片を輸出して、それを禁じるとけしからんと戦端を開いたのだから、こんな汚い戦争はない。

ところが、この戦争に清国は負けてしまい、イギリスに香港を割譲《かつじょう》せざるを得なくなった。まさに帝国主義である。香港は一九九七（平成九）年、中国に返還《へんかん》されたが、それまでイギリスの植民地だったのは、この阿片戦争に由来することなのだ。

当時、清国はアジアのトップに位置する大国で、周辺の国々はその威光《いこう》にひれ伏してきた。日本も古い昔から中国大陸の文化的影響を受けてきたから、清国に対して仰ぎ見るような感じを持っていた。その大国がイギリスにコロッと負けてしまったのだ。これは日本にとってもショックだった。そして、気がついてアジアを眺《なが》めれば、タイなどごく一部を除いて、ほとんどの国が白人国家である欧米列強《れっきょう》の帝国主義にひれ伏し、植民地にされてしまっている。このままではやがて日本も、と危機感を募《つの》らせたのは当然だろう。李王朝の朝鮮のように、欧米列強のこのような圧力にほとんど反応せずにいた鈍感さのほうが、むしろ不思議というものだ。

そこに黒船来航である。危機は目に見える形で目の前に現れたのだ。このままではだめになると、維新に拍車がかかることになったのだ。事実、あそこで維新という革命をやり遂げなかったら、日本もまた欧米列強の餌食《えじき》になり、植民地化される危険性は十分にあったと思う。

## 富国強兵

このようにして新しく出発した日本は、欧米列強に伍《ご》していくために近代化を急ぐ必要があった。そこで明治政府は明確な国策《こくさく》を掲げた。「富国強兵」である。国を富ませ、軍事力を強くするということである。資源の乏しい国を富ませるためには、近代工業を発展させなければならない。そこで「殖産興業《しょくさんこうぎょう》」がもう一つのスローガンになった。

単にスローガンを掲げただけではない。養蚕《ようさん》が盛んだった群馬県富岡に製糸工場、岩手県釜石《かまいし》に「鉄は国家なり」といわれた製鉄所、という具合に明治政府は国営工場を造った。これはおじいちゃんにも関係があるのだが、国は札幌にビール工場も造ったのだ。殖産のお手本を明治政府自らが示したというわけだ。これらの工場はのちに民間に払い下げられ、わが国近代工業の推進役になった。

帝国主義の風潮が濃厚な当時、日本が国際社会のなかで欧米列強に伍して独立を保っていくには、この国策は正しかった、というよりも必然だったと私は思っている。産業を興し、近代工業を発展させて国を豊かにするだけではだめなのだ。独立を保つためには軍事力の強化が不可欠だったのだ。

ここで少し横道に逸《そ》れるが、軍事力についておじいちゃんの考えを述べておこう。いまの日本は軍事力について正面から取り上げ、論ずるのは、何となくためらわれるような、タブーめいた雰囲気がある。だが、軍事力というのは国際社会では非常に重要な要素なのだ。帝国主義の時代がそうだったというだけではない。いまでもそれは変わりない。

たとえば、アメリカは世界の超大国として振る舞っている。それはもちろん、強い経済力を持っているからだが、それだけではない。世界に抜きんでた軍事力を備えていることが、超大国たる基盤の重要な要素になっている。それは、アメリカがペルシャ湾に空母《くうぼ》を派遣《はけん》して圧力をかけ、影響力を駆使《くし》するといった最近の出来事を見ても、よくわかるだろう。

また、軍事力は経済とも密接に関連している。いま、ドルは世界の基軸《きじく》通貨になっている。このところ、アメリカの経済は好調だから、ドルの基軸通貨としての地位はますます強固になっているが、一時期、アメリカは財政赤字と貿易赤字という双子《ふたご》の赤字を抱えて経済が停滞し、青息吐息《あおいきといき》の時期があった。それでもドルの基軸通貨としての地位には、いささかの揺るぎもなかった。それはアメリカが強大な軍事力を備えているからだ。世界に大変動が起こっても、強大な軍事力を持つアメリカがパーになってしまうことはないという安心感が、通貨であるドルへの信頼性になっているのだ。

このように、軍事力はいまでも国際社会を動かす重要な要素になっている。これはいい悪いの問題ではない。現実なのだ。

さて、日本の近代国家としての入り口のところを述べてきたが、これで景子もいろいろとわかってきたに違いない。たとえば［質問1］の答えのなかで、おじいちゃんは北からの脅威、ロシア、ソ連の脅威ということをしきりに述べた。少しナーバスになりすぎているのではないか、と景子は思ったかもしれない。だが、欧米列強への脅威が日本の近代化の底流《ていりゅう》にあったことを知れば、白人国家であるソ連の南下政策に敏感に反応したのもよくわかるだろう。

ついでにいえば、それにしても朝鮮を併合《へいごう》し、満州国《まんしゅうこく》創設に乗り出したのは、ソ連の脅威に対抗するとはいっても少しやりすぎではないか、と景子は思っただろうか。おじいちゃんもほかに選択肢があったのではないかとも考える。しかし、このような国家行動が決して突飛《とっぴ》なものでも目茶苦茶《めちゃくちゃ》なものでもなかったことを知らなければならない。たとえば、アメリカもまた、日本と同じことをやっているのだ。

それはハワイだ。ハワイは未開の野蛮《やばん》な島などではなく、カメハメハ王朝によって統一された一つの王国だったのだ。アメリカは一八九八年にこのハワイを併合し、カメハメハ王国を跡形《あとかた》もなく消してしまった。アメリカがこのような行動をとったのは、日本の存在と無関係ではない。アメリカは大西洋の向こうのヨーロッパに意識が向かっていて、太平洋のほうは彼方《かなた》に弱小のアジアがあるだけだと安心し、わが庭ぐらいに思っていた。ところが、日本が日清戦争に勝利し、それなりの力を持った国として立ち現れてきた。そのことに警戒感を抱いた結果が、ハワイの併合となったのだ。中国大陸には欧米列強が権益《けんえき》を扶植《ふしょく》しせめぎ合っていたから、朝鮮併合や満州国創設は他国の利害と衝突し、鋭い国際問題になったが、ハワイはアメリカが併合しても、利害が衝突する国はなかった。だから、国際的な問題になることはなかった。そして、一つの王国が完全に消されてしまったということさえ、いまでは忘れられかけている。

だが、こういうこともあったのだということを知っておかなければならない。

## 時代の空気

おじいちゃんがなぜ軍人になったのかに答えるのに、大分道草を食ってしまった。

日本は大急ぎで近代化を図り、日清・日露の戦争に勝利して、国際社会のなかでの位置を確保したことはわかっただろう。ことに日露戦争の勝利は、白人国家以外の国が白人国家に勝利した世界で最初の事例だ。これはコペルニクス的転回といっていい。当時、世界一の陸軍力を持つロシアに勝ったことは日本人に大きな自信を与え、「富国強兵」の国策が間違っていないことを確信させた。

このことは一つの雰囲気というか空気というか、そういうものを醸成《じょうせい》した。国のために尽くすには、軍人になるのが一番であり、それは人間として立派なことだという空気だ。おじいちゃんが子どものころは、勉強ができて健康な子どもは、陸軍士官学校（陸士《りくし》）か海軍兵学校（海兵《かいへい》）に入るのが当然という雰囲気が、全国隅々《すみずみ》まで行き渡っていた。陸士や海兵は学費などは一切無料で、能力があり健康であるなら経済力などに関係なく、だれでも進むことができたのだ。

景子はそういう雰囲気は理解できない、というだろうか。だが、いまでも勉強ができる子は東大から一流企業や官庁への道を目指すじゃないか。それが当然という空気が全国をおおっているだろう。それと同じことだよ。もっとも、東大から一流企業や官庁を目指すいまの志向は、いい暮らしができて高い社会的地位が得られるからという、自分一人だけの欲求から出ている傾向があるが、おじいちゃんが子どものころの、優秀な子は陸士か海兵に入って軍人になろうという志向には、公的使命感が大きな比重《ひじゅう》を占めていた。これが、もっとも違う点だ。国のため社会のために尽くすという使命感が自分の人生の生き方と密接に結びついていたということだ。それはいまと昔の教育の違いから出てきたものだ。そのことは前に掲げた「教育勅語」にあるように、国に尽くす人材を育てることが教育の重要な基本理念になっていたことでもわかるだろう。だから、いまは近所から東大に合格する子が出ても、うちの子は東大に行けなくて悔しいと思うぐらいだろうが、当時は陸士や海兵への合格者が出ると、郷土の誇りとばかり地域社会を挙げて称賛《しょうさん》し、そういう子を出した家は家門《かもん》の誉《ほま》れとしたものだ。

ここで、おじいちゃんに自慢させてもらおう。おじいちゃんは大変勉強ができたのだよ。それほど勉強したという記憶はないが、小学校から中学まで、常に成績はクラスのトップだった。おまけにおじいちゃんは両親から健康に恵まれた体をいただいた。こんなふうだから、いつとはなしに陸士にはいって軍人になるのは当然と思っていた。ほかに何かになろうなどとは考えたこともなかった。

陸士への進学は先生も熱心に勧めた。景子には曾祖父母《そうそふぼ》になるおじいちゃんの両親も、陸士に行くことを望んでいた。特に母親が熱心だった。おじいちゃんは六人きょうだいで、男は二人。その末っ子だから、男の子一人は国に尽くす人間になってもらいたいと思っていたのだろう。

だから、私が陸士に入り、軍人になることは、まったく自然なことだったのだ。

おじいちゃんは中学四年で陸士を受験し、合格した。あのときの嬉《うれ》しさは忘れられない。入学のために家を出発するときは、近くの神社に参拝し、近所の人が日の丸の小旗を振って見送りに出て、お祭りのようだった。その晴れがましさにおじいちゃんは感激した。よし、立派な軍人になってお国のために尽くすのだ、とおじいちゃんは志に燃えていた。

# Ⅱ　終戦、そしてルネッサンス

「『戦争犯罪人は一人前に汽車に乗ったりするな。歩いて行け！』。制服を着ていたから、私が陸士の生徒であることは一目でわかる。それを知った上での罵声《ばせい》だった。ついこの間までは、国を守るために命を捧げようとしている若者として、尊敬の目で見られていたのだ。おじいちゃんは沈黙して、屈辱にただ唇をかむしかなかった」

降伏文書に署名する重光葵外相（昭和20年9月2日）

## ［質問4］陸軍士官学校の教育はどんなふうでしたか。

### 厳格教育の極致

全生徒が寄宿舎に住まい、午前は学科、午後は訓練という毎日だった。学科は歴史教育を主とした人格陶冶《とうや》が重んじられた。午後の訓練はもちろん軍事に関する演習訓練だ。一日二十四時間、一挙手一投足《いっきょしゅいっとうそく》まで厳格な規律が行き渡った教育だった。

印象に残っていることでは、「慎独《しんどく》」という徳目を徹底的にたたき込まれたことだ。人間はだれにも見られていないと、とかく放縦《ほうしょう》になりがちなものだ。厳しく鍛えられればなおさら、人目のないところでは息を抜き、勝手気儘《きまま》にしたくなる。だが、人目がないところでこそ、人間の真価は問われる。だれも見ていない便所のなかのようなところでこそ、身を慎まなければならない。そういう教えだ。また、すべては礼にはじまり礼に終わるという武士道《ぶしどう》精神もたたき込まれた。

訓練はそれは厳しいものだった。徹底して寒い冬は日陰に入れ、暑い真夏は太陽にさらすというふうだった。たとえば、「乃木式暖炉《のぎしきだんろ》」と呼ばれる訓練があった。雪の上を裸で匍匐《ほふく》前進させられるのだ。「乃木」は日露戦争で激烈な旅順《りょじゅん》攻略戦を指揮した乃木大将の名に因《ちな》んだものだが、このような極寒《ごっかん》を体験していると、普通の寒さは暖かく感じられるようになる、というわけだ。

細かいことでは、外出の際、女性は不浄《ふじょう》な生き物、近寄ることはもちろん、視線を向けてもならぬ、道を曲がるときは直角に曲がれ、といったことも教えられる、というふうだった。

一言でいえば、ストイックの極致《きょくち》のような教育だったといえるだろう。しかし、それは当然のことだ。陸士を出れば直ちに少尉《しょうい》に任官《にんかん》して将校となり、指揮官に就《つ》くのだ。戦場に出れば、部下の命を預かる立場になる。責務の重さからいって、生半可《なまはんか》な教育は許されない。厳しく強烈な教育は当たり前のことだ。

そういう厳格な教育や厳しい規律がいやにならなかったか、と景子はいうかもしれない。だが、そんなことはなかった。決して嘘《うそ》をいったり、見栄《みえ》を張ったりしているわけではない。それどころか、厳しさに耐える自分に誇りさえ感じたものだ。

人間というのは、使命感を抱き、その使命に誇りを持って燃えることができれば、どんな過酷《かこく》さにも平気になれるものだ。むしろその過酷さを引き受けることが誇りになる。このことは人間を育て導く上での、一つのポイントだと思う。

ここで、景子に強くいっておきたいことがある。まず、戦争は人類の敵であり、永久に起こってほしくないものだし、また、起こしてはならない、ということだ。これは絶対的な前提である。

しかし、現実に戦争は起こる。過去の歴史がそうだったし、いまでも戦争が絶対に起こらないという保証はどこにもないのが現実だ。だからこそ、公《おおやけ》のために身を捧《ささ》げる行為は平和を守るために尊ばれなければならない。公に己《おのれ》を捧げる使命感こそが戦争という愚行《ぐこう》を防ぐ力になるのだ。

ところが、今の日本では戦争を否定するのはいいが、公に尽くす使命感までが否定されていないだろうか。世界中の元首《げんしゅ》が他国を訪問したとき、必ずその国の無名戦士の墓に詣《もう》でて花束を捧げるのが慣例になっているのは、景子も知っているだろう。あれは戦争を称賛するためではない。公に殉《じゅん》じた行為を尊び、崇敬《すうけい》の念を表明するためのものなのだ。

公に身を捧げる使命感。国民にその心が失われたとき、その国家が危うくなることは歴史が教えているとおりである。

おじいちゃんが陸士で教えられたものは、詰まるところ、国家という公に尽くす使命感、公に身を捧げる心構えだったのだ。

## 〝公〟に尽くす使命感

陸士では使命感を育て、誇りを持たせるために、具体的なことも行っていた。たとえば、その一つは天長節《てんちょうせつ》だ。

天長節とは天皇誕生日のことだ。昭和天皇のお誕生日は四月二十九日だったから、戦前、この日は天長節と呼ばれ、祝日になっていた。

この日、陸軍は代々木練兵場《れんぺいじょう》に天皇陛下のご臨席《りんせき》を仰《あお》いで、観兵式《かんぺいしき》を行うのが恒例《こうれい》になっていた。代々木練兵場はいまNHKがあり、代々木公園になっているところだ。あそこは陸軍が軍事演習を行う練兵場だったのだ。

戦前、天皇の存在はいまよりもはるかに大きかった。現人神《あらひとがみ》といわれ、最高の権威だった。その天皇がお出ましになり、観兵するのが観兵式である。それは陸軍にとって一大行事であり、緊張感のみなぎる厳粛《げんしゅく》な雰囲気のなかで行われた。天皇が白馬に跨《また》がってお出ましになり、玉座《ぎょくざ》につかれる。その右側の一番近いところに整列しているのが、われわれ陸軍士官学校の生徒なのだ。

晴れがましい式典で天皇の間近に、十六、七歳、いまでいえば高校二年ぐらいの少年が供奉《ぐぶ》するのだ。誇らしく思い、感激にふるえるのは自然のことだろう。私もそうだった。

また、天皇は陸軍士官学校の入校式や卒業式にも必ず出席された。お出《い》でになれないときは、ご名代《みょうだい》の宮様を派遣された。

このような形で接した天皇。その天皇のお姿を通して、おじいちゃんは日本という国を具体的に感じたのだ。この日本の安寧《あんねい》を守るのだと、自然に使命感がふくらんできた。そのためにもっともっと自分を鍛え、人格を高め、立派に任務を全《まっと》うできる軍人にならなければ、と心に誓った。そして、自分からさらに厳しさを求めて座学《ざがく》と軍事訓練に向かっていくというふうだった。陸士で受けた教育はそのようなものだった。

陸士で学んだ時期は、人間の一生でもっとも感じやすい年ごろだった。それだけに、あの教育から受けた影響は大きい。いや、影響という以上に、おじいちゃんの骨肉となっている、といったほうがいいかもしれない。

それはいまでも、おじいちゃんのバックボーンになっている。

陸軍士官学校は軍人を育てるという明確な目的に貫かれた学校だから、その教育は特殊といえば特殊かもしれない。だが、人間を使命感に目覚めさせ、持てる素養《そよう》を飛躍的に開花させ、燃える生き方に導くという教育のエキスも強く備えていた。その意味で現代の教育のあり方の参考にしていいものがある。

景子が陸士の教育内容について、もっと詳細に研究したいと思うなら、『陸軍士官学校』『陸軍士官学校第六十期生』などの資料があるから、参考にするといい。

それに関連して、陸士の教育の基本であるばかりでなく、日本人の心の基本にもなっているものを知るために、新渡戸稲造《にとべいなぞう》の『武士道』をぜひ一読することをきみに勧めたい。

［質問5］
おじいちゃんは戦場に行ったのですか。一九四五（昭和二十）年八月十五日の終戦のときは、どうしていましたか。

## 北軽井沢で聴いた玉音放送

おじいちゃんは戦場には行かなかった。陸士に在校していて、卒業する前に戦争が終わってしまったのだ。

終戦の年、一九四五（昭和二十）年に入って、戦況が押し詰まっていることは感じていた。太平洋の島々が次々と米軍に奪取《だっしゅ》され、米軍機動部隊が日本に迫ってくる。その表れが、首都圏をはじめ日本全国へのボーイングB29による空襲《くうしゅう》だった。東京や横浜が焦土《しょうど》と化していく。その緊迫した情勢は、われわれ陸軍士官学校六十期生にも無関係ではなかった。兵科によって航空に進んだ者は一部満州に渡り、おじいちゃんたち陸上関係（歩兵、砲兵、工兵など）は北軽井沢に移動した。

これは最高戦争指導会議における「決戦非常措置要綱」に基づくものだった。陸軍はおじいちゃんの故郷に近い長野県松代《まつしろ》に、大がかりな地下軍事施設の構築にかかっていた。そこに天皇皇后両陛下をお迎えして大本営《だいほんえい》とし、上陸してくるアメリカ軍に本土決戦を挑む計画だった。その本土決戦で大本営を守る尖《せん》兵《ぺい》に充てられたのが、われわれ陸士の生徒たちだったのだ。

戦況が不利なことはわかっている。だが、自分でも不思議な気がするのだが、この戦争に負けるとは露《つゆ》ほども思っていなかった。悲壮《ひそう》感はあったが、決して悲観的ではなかった。それどころか、自分の任務が明確になって一層使命感に燃え上がり、本土決戦に備える火のような激しい訓練に充実感さえ覚えていた。これはおじいちゃんだけではなかった。同期生みんながそうだった。

なぜだったのか。やはり陸士という特殊な環境を考えないわけにはいかない。

品性高潔《ひんせいこうけつ》な教育者。熱気のこもった授業と訓練。優秀な先輩や同期生。国のために尽くす人材を育てるにはこの上ない環境だったが、やはり大きな欠点もあったといわなければならない。それは外部から遮断《しゃだん》された閉鎖社会だったということだ。

閉鎖社会だから、入ってくる情報は単一で、限られている。たくさんの情報からあれこれと選択し、自分の頭で考え判断する余地が限られてくる。それが、冷静に状況を見極め、判断する力を奪ってしまうのだろう。だが、そのことがわかるのはのちのことだ。

八月十五日がやってきた。われわれ陸士六十期生は広場に整列し、正午にラジオから流れてくる天皇のお言葉、玉音《ぎょくおん》放送を、姿勢を正して聴いた。終戦を告げる詔勅《しょうちょく》だったのだが、それを聴いてもまだ、日本が戦争に負けたとは思わなかった。ソ連が参戦し、広島と長崎に米軍が新型爆弾を投下したことは知っていた。このように厳しさを増す状況だからこそ、天皇はさらに一層奮励《ふんれい》努力するようにわれわれを激励されたと受け止めたのだ。

それでも、どうやら日本は連合国側の発したポツダム宣言を受諾《じゅだく》し、無条件降伏したようだ、という話が伝わってくる。無条件降伏の敗戦。まさか、と思った。どう考えても信じられない。みんなも混乱してくる。

「無条件降伏など、天皇陛下の御心《みこころ》であるはずがない。もし、無条件降伏を受け入れたとするなら、それは鈴木貫太郎（当時の首相）の老いぼれの世迷事《よまいごと》だ。天皇が戦いをやめろなどとおっしゃるはずがない」

　同期生たちで激論が闘わされ、結論はそこに落ち着く。私も、そうだ、そうだと自分にいい聞かせた。そういい聞かせなければ、頭のなかが粉々になって、気が狂ってしまいそうだったからだ。

　しかし、いくら日本は負けてはいない、と自分にいい聞かせたところで、事実は事実なのだ。周辺の様子で、無条件降伏はまぎれもないことが次第に明らかになってくる。だが、やはり日本が負けたとは信じられないのだ。といって、敗戦の事実が日に日に明確になってくる。私は何をどう考えていいのか、わからなかった。同期生のみんなも同じだった。実際、同期生のうち三人は、発狂してしまったのだ。私もその一歩手前まで行っていたと思う。

陸軍予科士官学校の入校式風景

## 山室静先生の言葉

それまでの価値観が一挙に崩壊《ほうかい》したとき、人間を支えるものがあるとすれば、幻想しかないようだ。無条件降伏など、天皇の本意であるはずがない。必ずアメリカをやっつけるために再起を考えておられるはずだ——埒《らち》もない幻想と思うかもしれない。だが、そう思わなければ、自分を支えられなかったのだ。私たちは最下装《さいかそう》の軍装のみを残し、武器や弾薬を隠し、再起に備えて準備したりした。必死に準備を進めることで、狂いそうになる自分をようやく支えていたのだ。

そんな私たちが反乱を起こすのではないかと懸念《けねん》し、東京の本校から校長がわざわざ北軽井沢までやって来て、終戦を納得させ、不心得を犯してはならないと説得したりした。

敗戦。だが、どうしても自分を納得させることができない。見るもの聞くもの、すべてが腹立たしかった。

そんなある日、私は外出し、実家とつながりのある小諸《こもろ》の名家、小山家を訪ねた。すると、そこに一人の学者が疎開《そかい》してきていた。仏文学者の山室静《やまむろしずか》先生である。

「きみたちは狂っている」

と山室先生はいわれた。

「自分を大切にして、もっと学問をしなさい。そうすれば世の中のことがわかってくる。自分たちが狂っていること、間違っていることに気づくようになる」

懸命にそう諭《さと》された。

だが、私は聞く耳を持たなかった。糞《くそ》ったれ、と思った。こんなふにゃふにゃしたなまくらな学者がいるから日本は負けるのだ、と憎しみに近い感情さえ抱いた。山室先生の言葉が身にしみてわかるのは、のちのことだ。

しかし、確かに日本は負けたのだ。その現実は認めなければならなかった。認めなければならないが、納得はできなかった。何かを考えようとすれば、腹立たしさがふくらむばかりだ。だが、その腹立たしさをどこにぶっつければいいのか、わからない。

茫然自失《ぼうぜんじしつ》。頭が真っ白になって、何も考えられなかった、考えたくなかった、というのが、終戦のときのおじいちゃんの状態だった。

［質問6］
終戦で陸軍士官学校はなくなってしまったわけですが、それからおじいちゃんは新しい道をどんなふうにして見つけたのですか。

## 価値観のコペルニクス的転回に戸惑う

新しい道など、そんなに簡単に見つけられやせんよ。だいたい、新しい道など考えられもしなかったし、考える気もなかった。

陸軍士官学校が閉校になり、私が故郷に復員《ふくいん》したのは九月の末だった。

故郷に帰ろうとして、価値の大転換にぶつかった。そのころは交通事情が悪くてなかなか汽車に乗れない状態だった。キップが手に入らないし、手に入っても、汽車はデッキや窓から人が溢《あふ》れ出るほどの大混雑だ。そこに乗り込もうとして、私は罵声《ばせい》を浴びた。

「あいつらは戦犯《せんぱん》だ！」

「お前たちのような軍国主義者のおかげで、おれたちは苦労しなければならないのだ」

「戦争犯罪人が一人前に汽車に乗ったりするな。歩いて行け！」

制服を着ていたから、私が陸士の生徒であることは一目でわかる。それを知った上での罵声だった。ついこの間までは、国を守るために命を捧げようとしている若者として、尊敬の目で見られていたのだ。それがこの落差。おじいちゃんは沈黙して、屈辱にただ唇をかむしかなかった。

実家に戻ってもそうだった。陸士への入学時には私のためにお宮参りをしてくれ、小旗を振って見送ってくれた人びとが、危険人物を見るような、何かをはばかるような視線をちらりと投げてくる。私のいる場所はないかのようだった。

おじいちゃんは仏間《ぶつま》に籠《こ》もり、何日もそこから出なかった。国のためと念じて精進した日々を思うと、ただただ空《むな》しい。そして、掌《てのひら》を返すように価値観を転換させて平気で日々を過ごしている世間を思うと、腹立たしくてならない。

仏間から動かない私を心配して、食事を運び、気づかってくれる母親にさえ怒りを感じた。

「早くまともなお前に戻っておくれ」

何がまともに戻れだ——母親がかけてくる言葉の一つひとつに反発し、母親をすら、この嘘つきめ！　と思った。陸士に行き、軍人になることをあんなに勧めたのは、お母さん、あなたではなかったのか。私は母に怒りをぶっつけた。腹のなかに煮えくり返るものをどう始末したらいいのか、自分でもわからない。その憤懣《ふんまん》をぶつけるのに、母は恰好《かっこう》の対象だったのだ。

おじいちゃんは不器用な人間なのかもしれない。そのとき、おじいちゃんは二十歳。まだ若く純粋だったとはいえ、価値の転換に遭遇して、新しい価値観をなかなか受け入れることができず、崩れてしまった価値にいつまでもこだわって悶々《もんもん》としている。同じ釜《かま》の飯を食った陸士の仲間を眺めても、おじいちゃんは特にそういう期間が長かったような気がする。

## おじいちゃんのルネッサンス

いつか故郷の信州には紅葉の季節が訪れていた。いつまでも仏間に籠もったままでいる私が、母は心配でしようがない。そこで山奥の温泉地に静養に行くことを勧めた。そこに遠縁《とおえん》に当たる家がある。その離れを借りてしばらくのんびりしたら落ち着きを取り戻すのではないか、と考えたようだ。

おじいちゃんは温泉地に静養に出かけて行った。家にいても腹立たしいことばかりで、少しも面白くない。私も家に居続《い》けるのが、何となく息苦しくなっていたのだ。

景子、さてここからは書くべきかどうか、おじいちゃんはずいぶん迷った。静養に行った温泉地で、おじいちゃんは一人の女性に出会う。その女性は、いってみればおじいちゃんにとって、人生で最初の女性になり、私の人間形成に重要な意味を持つことになるのだ。その女性は景子のおばあちゃんではない。このことは景子のお母さんには話したことがある。

ことは男と女にかかわる話だ。こういうことをきみに話して、果たしてわかってもらえるかどうか。迷ったのはそのためだ。

しかし、おじいちゃんは景子を少し子どもっぽく見すぎているのかもしれない。孫だから、なおさらそうなのだろう。考えてみれば、景子は今年で十八歳になる。昔なら結婚していてもおかしくない、立派なおとなだ。それにニューヨークという異文化の地に住んで、言葉の壁を乗り越え、まったく異なった文化を背景にした国々の目の色も肌の色も違う人びとと友人になり、さまざまな人間関係を結んで、立派にやっている。おじいちゃんが考えるよりはるかにしっかりしたおとなになっているようだ。

どうもおじいちゃんには、孫の景子はまだまだ子どもだ、子どもであってほしいと思いたい気持ちがあるようだ。その気持ちが景子を実像よりも幼く考えさせ、温泉地での女性との出会いを述べるのをためらわせるのだろう。

だが、景子はおじいちゃんの孫には違いないが、もうおとななのだ。必ずわかってくれるに違いない。そう考えて、すべてを記すことにする。

さて、温泉地に行き、遠縁の離れに住まってみても、気持ちが晴れるわけはない。場所を変えたぐらいで鬱屈《うっくつ》が晴れるような、そんな簡単なものではないのだ。冬の気配に霜枯《しもが》れていくあたりの風景を眺めていると、かえって呆然《ぼうぜん》として、空しさがふくらんでくるようだった。

国家のために命を投げ出す覚悟を決めて、日々精進してきた。だが、世間の価値観は大きく転換し、そういう生き方は愚かなことだった、間違いだった、ということになっている。そんな価値観を容易に受け入れることはできない。では、どうすればいいのか。死んでしまえば、かえって楽ではないか。そんなことも考えた。実際、死を思ったのは、一度や二度ではない。

離れで暮らす私の部屋を掃除したり、食事を整えたり、世話をしてくれる女性がいた。彼女は私より四歳年上。結婚したが、夫が出征《しゅっせい》して戦死し、その若さで戦争未亡人になってしまった人だ。行くところがなくて、遠縁の家に身を寄せていたのだ。

そのころの私は世間知らずで、悶々としている自分のことだけで頭がいっぱいで、あまり人のことを考える余裕がなかったが、考えてみれば、彼女もこれからどうすべきかについて迷う、心細い身の上だったわけだ。

彼女は掃除などで離れにやって来るたびに、私に説教した。日本は軍国主義に傾きすぎていたのだということ。世界を知らずに慢心して驕《おご》り高ぶり、外国とのもめごとがあると、すぐに軍隊を持ち出したのがいけなかったのだということ。これからは国民の意見をまとめ、それによって国を動かしていく民主国家にならなければならないということ。いつまでも軍国主義の考え方に取りつかれていてはいけないということ。誤っていたところを素直に認め、新しく出発しなければならないということ。若いのだから、それができるということ。そんなことを彼女は彼女なりの言葉で懇々《こんこん》といって聞かせる。

だがね、先にもちょっと触れたが、陸士では女性は不浄《ふじょう》な生き物、近寄ってはならないといった趣の教育を受けてきた私だ。どうしても彼女のいうことを素直に聞くことができない。

「何も知らない女が、生意気をいうな」

腹が立ってきて、怒りの言葉をぶつける。いい争いになり、喧嘩《けんか》になってしまう。そんな繰り返しが何日も続いた。

それでも諦《あきら》めずに、彼女は説教を繰り返す。それは、若い私を何とか立ち直らせたいという彼女の優しさだったのだろう。と同時に、彼女は私に説教することで、戦争未亡人の自分もまた、新しく出発していかなければならないのだ、と自分にいい聞かせていたのかもしれない。あとになって考えると、そんな気がする。

彼女がいつも私の世話にやってくるとは限らない。離れに姿を見せない日もある。妙なものだ。彼女が見えないと、いつもは「説教ばかりして、うるさい女だ」と思っているのに、私は何となく落ち着かなくなって、そのあたりをうろうろしてしまうのだ。

いくら陸士育ちのコチコチだといっても、そのときはおじいちゃんも二十歳の若者だ。青春の若い血がたぎっている。それが恋だと気づかぬはずはない。

ある夜、私と彼女は炬燵《こたつ》にあたりながら、話し込んでいた。話題はいつものことだった。

ふと、炬燵のなかで手が触れた。私は思い切って彼女の手を握った。彼女は怒り出すのではないか、という気がいくらかはあった。ところが、彼女は私の手をギュッと握り返してきたのだ。

あのときの気持ちは、私の拙《つたな》い筆では十分に表現することができない。私のなかにパーッとふくらんだのは、喜びだった。その瞬間の名状《めいじょう》しがたい気持ち。彼女の柔らかい手の感触、温かい体温を通して、大げさにいえば、私は人生とは何かを見たような気がしたのだ。

自分がいかに狭い世界に閉じ籠《こ》もり、狭い考えにとらわれていたかを思った。まだまだ人生のすべてを理解するには遠いが、少なくとも自分にはわからない広い世界があるのを感じた。自分の知らない素晴らしいものがこの世にはまだまだいっぱいあるのだと思った。生きてみようと思った。これまでの自分を見直し、いいはいい、だめはだめときちんと整理して、新しく再出発するのだと思った。

それまであんなに悩み苦しんでいたのに、一人の女性によってコペルニクス的に転回してしまう。人から見れば、たわいないといわれるかもしれない。確かにたわいないといえばたわいない。だが、百万言《ひゃくまんげん》を費やした理屈よりも、一人の人間の存在のほうが、人生とは何かを強烈に感じさせる。そういうことが確かにあるのだ。人生とはそういうものではないだろうか。

人生には喜びに満ちて新しい生き方に自分を向かわせるような出会いが、だれにでも必ずあるものだ。自分の人生は自分ひとりでつくっていくものではない。そういう出会いをいくつも積み重ねることによって、人生は形成されていくのだ。これまでの人生を振り返って、おじいちゃんは実感をもってそう思う。

景子もこれからそういう出会いを持つに違いない。その出会いを大切にしていくことだ。それが必ず景子の人生を素晴らしいものにしてくれるのだから。

炬燵のなかでそっと握った手をギュッと握り返してくれた彼女の手。あの柔らかさ。温かみ。思えば、あれは私のルネッサンスだった。人間としての蘇《よみがえ》りだった。

生きる力を与えられ、あそこを基点にして、おじいちゃんの新しい人生ははじまったのだ。

［質問7］
終戦で陸軍士官学校がなくなって、それからおじいちゃんは旧制の高校、大学と進むわけですね。戦後の学生生活の様子、そのなかでおじいちゃんが考えていたことなどを教えてください。

## 青春謳歌

そのころになって、おじいちゃんは小諸で出会った山室静《やまむろしずか》先生の言葉を思い返すようになった。

「自分を大切にして、もっと学問をしなさい。そうすれば、世の中のことがわかってくる。自分たちが狂っていたこと、間違っていたことに気づくようになる」

山室先生の諭《さと》しの言葉が改めて胸にしみてきた。

おじいちゃんはもっと学ばなければと思い、一九四六（昭和二十一）年三月に旧制の松本高校（現・信州大学）を受験し、合格した。

ところが、おじいちゃんの再出発はなかなかスムースにはいかない。入学を禁じられてしまったのだ。それにはこのような事情がある。

終戦となって、アメリカをはじめとする連合国の軍隊が占領軍として日本に乗り込んできた。その総指揮をするのが、ダグラス・マッカーサーを連合国軍最高司令長官とするGHQ（連合国軍最高司令官総司令部）だ。マッカーサーのGHQによって、戦後の七年間の日本の占領政策は遂行《すいこう》されたのだ。

占領当初、GHQがもっとも恐れたのは日本に軍国主義が復活することだった。そのために、いささかでも戦争に責任のある関《かか》わり方をした人びとが公《こう》職《しょく》に就《つ》くのを禁止した。公職追放というやつだ。だが、追放は一般社会だけのことだったのではない。それは学校にも及んだ。GHQは軍関係の学校に一年以上学んだ学生を全校生の一割以内に抑えるようにという命令を発した。日本はもはや独立国ではなく、占領下にあるのだ。GHQの命令は絶対だった。

陸士をはじめとして軍関係の学校を卒業したり途中だったりした学生が、松本高校にはすでに数多く転入していた。だから、私と一緒に合格した者たちを入学させると、GHQの発した一割制限を八名だけ超えてしまう。そこで私を含めて八名が、合格はしたが入学はだめ、ということになってしまったのだ。学校追放である。

もっと学問をして自分の生き方を見つけようと再起を期したのに、ふたたび挫折である。どうすればいいのだと、一時は暗澹《あんたん》とした気持ちになった。だが、当時の松本高校の校長は腹の太い人物だった。追放された私たち八人を呼び出して、校長はいった。

「GHQの命令であるから、今年はきみたちを入学させるわけにはいかない。だが、きみたちの学力は高く、そのレベルには何の不足もない。だから、これから一年間、きみたちが不始末を犯して問題を起こすようなことがなければ、来年は必ず入学させる」

こうして一年後の入学を確約され、その約束どおり一年後の一九四七（昭和二十二）年四月、おじいちゃんは旧制の松本高校に入学したというわけだ。

高校、特に寮生活は私にとって実に驚きであり、新鮮な経験だった。おじいちゃんは陸士で、一挙手一投足《いっきょしゅいっとうそく》にいたるまで規律がある厳格この上ない教育を受けた。ところが、松本高校は自由放任もいいところ。寮などは落書きだらけの散らかり放題。酒は飲む、麻雀はやる。揚げ句には高歌《こうか》放吟《ほうぎん》のどんちゃん騒ぎ。そんなことが日常茶飯事《さはんじ》なのだ。それでも何も咎《とが》められることはない。勉強するやつは勉強する。遊ぶやつは遊ぶ。徹底的に自主性を重んじ、すべては本人次第という雰囲気だ。

　前にもちょっと触れたが、旧制高校の定員は帝国大学を冠《かん》した国立大学の定員とほぼ一致していた。だから、受験の心配はまったくなく、どこかの国立大学への進学は、よほどのことがなければ、まず保証されている。それがこのような自由な雰囲気を生んだ一つの理由でもあったのだろう。

　授業そっちのけで口角泡《こうかくあわ》を飛ばして議論にふける。文学に耽溺《たんでき》したり哲学に夢中になったり、かと思うと酒や賭《か》け事をもっぱらにしたり。三年間の高校生活を各学年裏表の二年間ずつやって、在校が許される六年間を目いっぱい楽しんで卒業する者もいれば、途中でドロップアウトしてしまう者もないではない。ばらばらといえばばらばら。個性的といえば個性的。そこにはまさに青春を謳《おう》歌《か》する姿があった。世間もまた、高校生はそういうものと容認している空気があった。

こういう空気のなかから多士済々《たしせいせい》の人材が輩出した。〝どくとるマンボウ〟シリーズで知られる作家の北杜夫《きたもりお》や学習院大学教授を務めて作家でもある辻邦《つじくに》生《お》も、おじいちゃんと同時期に松本高校に在学していたのだ。

青春の一時期、のびのびと個性を発揮して学生生活を送ることは、人間形成の上で大きなプラスになる。できることならば、おじいちゃんは景子の弟の晴志郎にも、この旧制高校のような生活を経験させてやりたいものだ、と思わずにはいられない。

陸士では厳格教育の極致、松本高校では自由放任教育の極致、おじいちゃんはこの両者を経験することになったわけだ。それぞれに長所があり短所がある。その両者を経験できたことは、私に一つの客観的視点を与えることになったと思う。これは幸運なことだったと思っている。

## 人生の師、安倍能成先生との出会い

おじいちゃんは松本高校で校友会総務を務めた。校友会総務とは古めかしいが、要するに学生自治会の委員長だ。おじいちゃんは学生運動をやったわけだ。

学生運動といえば全学連ということになる。全学連といえば一時期は、左翼も左翼、極左の過激派といったイメージがあった。松本高校校友会も発足間もない全学連に加盟したが、そのころの全学連は結成されたばかりということもあって、それほど思想的ではなかった。左翼もいれば右翼もいる、ノンポリもいるというふうで、玉石混淆《ぎょくせきこんこう》だった。

私はかなり熱心に活動した。松本高校の自由で、青春を謳歌する姿を先に述べたが、その中身はというと、物質的には実に貧しいものだった。学生はだれもがお金がなく、苦しい経済事情を抱えていた。それに何よりも応《こた》えたのは、当時の食糧難だった。元気いっぱいの若者たちが、食べるものが十分になく、空《す》きっ腹を抱えてひもじい思いをこらえていた。だから、学生がお金がなくて帰郷《ききょう》できないといったことがないように、汽車賃の学割を増やしてほしいとか、寮の米の配給をもっと増やしてほしいとかいった要求を掲げ、学校と交渉したりするわけだ。このような経済闘争がもっぱらだった。

活動の連絡のために上京する機会も増えた。そこで私は大きな出会いに遭遇することになる。

　かつての陸士の仲間で、やはり学生運動をしている友人から、安倍能成《あべよししげ》先生の勉強会に誘われたのだ。

　安倍能成先生は、戦前は一高の校長を務め、戦後は文部大臣になり、さらに新制となった学習院大学の初代学長を務めた教育者であり哲学者である。その高潔な人格とすぐれた見識を慕《した》って集まる弟子たちは多く、そういう人たちを中心に私的な勉強会を開いていたのだ。

　おじいちゃんは飢えていた。確かに食糧難で腹を空かしていたが、飢えとはそういうことではない。知識に飢えていたし、見識《けんしき》に飢えていたのだ。心に響き、胸を熱くするような教えがほしかったのだ。閉鎖された社会のなかではあったが、陸士で使命感に燃えて必死になったように、それと匹敵するものを戦後の社会のなかに見つけたかったのだ。だから、一も二もなく安倍先生の勉強会に参加した。安倍先生は戦前はリベラリストとして危険視され、非国民のようにさえいわれた。それが戦後は一転して右翼思想の持ち主のように批判されていた。だが、それは世間が張ったレッテルである。安倍先生には全五巻の

『安倍能成選集』があるが、それを読めば明らかなように、安倍先生の論じるところは戦前も戦後も一貫して変わっていない。世間が勝手に価値観を変えて、腰の据《す》わらない視点で、あれは右だ左だと騒いでいるだけである。

だが、鬼瓦《おにがわら》のようないかめしい風貌《ふうぼう》の安倍先生は、世間が何といおうと自分の信じるところを論じ、泰然自若《たいぜんじじゃく》としておられる。私は確たる信念を持ち、それを貫くものの強さを、安倍先生の姿を通して感じた。そして、その人格に引きつけられ、先生のように生きたいと思い、傾倒《けいとう》した。私は勉強会ばかりでなく、上京するたびに先生のもとに顔を出すようになった。お話をうかがうのが嬉《うれ》しいし、楽しくてならなかったのだ。

そんな私は、安倍先生に大変かわいがっていただいた。景子がMs.Wood にかわいがられているように、だ。

景子、人間の一生にとって師と仰ぎ、心から尊敬できる人にめぐり会うことは、とても大切なことだよ。師の大きさについて考え、そこに少しでも近づこうと研鑽《けんさん》することで、人間は大きく成長し、人格を形成していくものだ。そのようにして培われた人間性は本物なのだ。これは安倍能成先生という師を得ていささかでも自分を磨くことができたおじいちゃんの実感でもある。Ms. Woodが景子にとってそういう存在なのかどうかは知らない。いずれにしろ、師を得るのと得ないのとでは、人間の土台が大きく違ってくるし、生きる充実感がまったく変わってくる。これは本当のことだ。そのためにはまず、求めることだ。何ものも求めなくては得ることができない。そして、求めれば、必ず与えられるものだよ。これはおじいちゃんから景子へのアドバイスだ。

## 学習院は二年で卒業

あるとき、安倍先生は私にこういった。

「中條君、学習院が今度、一般の私立大学としてスタートすることになり、私が学長に就任することになった。どうだね、きみ。うちの大学に来ないかね」

学習院はそもそもは華族学校といったことでもわかるように、戦前は皇族や華族の子弟を教育するための、宮内省が管轄する特殊な学校だった。それが戦後は宮内庁から文部省に移管《いかん》され、一般の私立大学として新しく出発することになったのだった。

「だが、他の私立大学のように多くの学生を集めるマンモス大学になってはつまらない。学生数はせいぜい百名程度にとどめ、国立大学から優秀な教授陣を集め、規模は小さいが塾のような雰囲気で一人ひとりの学生に充実した教育を行い、有為《ゆうい》な人材を世に送り出す。そういう大学にするつもりだ。ぜひ来たまえ」

安倍先生はそんなふうにも語った。

その一語で、私の進路は決まった。安倍先生のもとで学べる。それが何よりも嬉しかった。

もっとも、この進路に景子の曾祖父母《そうそふぼ》であるおじいちゃんの両親は反対だった。私が松本高校に入学した時点で、両親は東大や京大などの国立大学に進み、当時の高文《こうぶん》（高等文官）試験、いまでいえば国家公務員Ⅰ種試験を突破し、高級官僚の道を歩む、といったコースをイメージしていたらしい。事実、松本高校の仲間はほとんどが国立大学に進み、私立大学に行くのは例外中の例外だったのだ。

しかし、私には進路に陸士を選んだときの反省があった。陸士で学んだことに後悔はない。あそこで私は使命感に燃えて厳しさにぶつかっていくことが、どんなに生きる充実感をもたらし、喜びとなるかを身につけた。だが、視野の狭さは免《まぬが》れようもない難点だった。といって、その責めを陸士の閉鎖的な環境にだけ帰するわけにはいかない。

進路の選択にも問題があったのだと思う。世間の空気に染まり、先生や両親の勧めを無批判に受け入れ、陸士に行くのが当然と思い込み、私はほかの選択肢をまったく考えなかった。子どもだったとはいえ、そこにはまったく自分の意志はなかった。そこに私を狭い視野のなかに簡単に閉じ込めてしまう一因があったと思う。

だからこれからは、周りの意見に耳を傾けはするが、最終的な結論は自分で出す、そういう生き方をする、と私は心に決めていた。

景子や晴志郎の進学について、おじいちゃんは強く指示したことはなかっただろう。きみたちが相談してきたときにアドバイスはしたが、絶対にこうすべきだなどとは一度もいわなかった。それはおじいちゃんの経験に基づいている。

進路については、孫のきみたちの自主的判断をあくまでも重んじたかったのだ。

そういうわけで、おじいちゃんは迷うことなく学習院大学に進んだ。

それにしても、世間広しといえども、大学の学長から入学の保証付きで勧誘された学生がいるだろうか。聞いたことがない。それだけに、安倍能成先生から学習院大学進学を勧められたことは、おじいちゃんの勲章だと思っている。

もっとも、断っておくが、入学保証付きとはいっても、無試験で裏口から入ったわけではない。ちゃんと入学試験を受けて合格したのだよ。

さらに、変なことがある。おじいちゃんは学習院には二年間しか通っていない。といって、中退したのではない。ちゃんと卒業している。

実は、学習院大学の合格通知を受けて、安倍能成先生をお訪ねすると、こういわれた。

「きみの学力は二年間の教養課程を終えたレベルに十分達している。だから、教養課程の二年間はやらなくてもいいだろう。三年に編入して専門課程からやりなさい」

おじいちゃんが学習院に入学したのは一九五〇（昭和二十五）年四月。ＧＨ

Qが進めた教育改革で、学制が旧制から六・三・三・四の新制に切り替わった端境期《はざかいき》で、いろいろと混乱が見られた。そんな時期だったから、こんな融通無碍《ゆうずうむげ》なことが通用したのだろう。だから、学習院には専門課程の二年間しか通わなかったが、ちゃんと卒業証書を手にし、学士号を得たというわけだ。

といって、年齢より早く大学を出たというわけではない。終戦の年、陸士がなくなり新しい進路を求めなければならなかったのだが、私はコペルニクス的転回を遂《と》げた価値観についていけず、進路を考えるどころではなかった。死さえ思い詰める懊悩《おうのう》のうちに一年が過ぎていた。そして、軍関係学校生徒の追放により、松本高校への入学を一年間待たなければならなかった。そういうわけで、年次からいえば、私は都合《つごう》二年遅れている。だから、大学で教養課程の二年間をショートカットすることで、いくらか遅れを取り戻したといえるだろう。

それにしても、おじいちゃんの年代は終戦という大転換のなかで、ちょうど端境期に遭遇するめぐり合わせになっていたようだ。陸士では、われわれ六十期生や六十一期生が最後の生徒になり、松本高校では最後の旧制高校の卒業生になった、という具合だ。

おじいちゃんが大学を卒業したのは、一九五二（昭和二十七）年三月である。

［質問8］
おじいちゃんはビール会社に就職しましたね。なぜですか。ビール会社を選んだのは、戦争体験と関係がありますか。

## 日本を立て直すには経済だ

おじいちゃんは卒業した年の四月に、当時は朝日麦酒といったいまのアサヒビールに入社した。

この就職と戦争体験とは、直接の関係はない。だが、広い意味でいえば、やはり無関係とはいえないだろう。

就職に際しては、おじいちゃんには基本的な方向づけがあった。そして、その方向づけこそ戦争体験の影響といえるだろう。

おじいちゃんはかつて、権力的にはいわゆる官よりも右に位置していたといえる職業軍人の道を選択し、終戦によって残酷ともいえる苦渋《くじゅう》に満ちた体験をした。それだけに、これからは官（権力構造）からより遠いところで生きたいという思いが、私の心を強く支配していたのだ。それがおじいちゃんの職業選択の基本的方向づけになっていたのだ。

ここでまたまた、おじいちゃんの自慢話をさせてもらおう。

おじいちゃんの文章力はなかなかのものなのだよ。小学校時代、全国の綴《つづ》り方《かた》コンクールで文部大臣賞に輝いたこともあるほどだ。社会に出てからはあまり文章を書く機会がなかったし、この年齢になると脳味噌《のうみそ》が固くなって、表現力はすっかり錆《さ》びついてしまったが、それでも書くことは好きなのだ。

それで最初は、私はペンで身を立てようと志した。「矛《ほこ》からペンへ」の思いでジャーナリストたらんとして、新聞記者を志望したわけだ。そこには、陸士時代、閉鎖社会のなかで情報から隔てられたために狭い枠《わく》のなかでしかものごとを考えられず、状況を把握する力をなくしてしまっていたことへの反省も込められていた。これからは情報が大切だと考えたのだ。

ところが、新聞社の就職試験を受けるつもりだと話すと、私の両親、ことに母親は大反対した。新聞記者になどなったら死んでしまうとさえいって、涙を流すのだ。

いまではジャーナリズムは第四の権力などといわれて社会的位置づけは大きなものになっているが、そのころはそれほどでもなかった。それに田舎ということもあって、母には新聞といえばいわゆるアカ新聞、ゴロツキ、いまでいうブラック・ジャーナリズムのイメージが強くあったのだろう。「新聞などというものは品性下劣な世界で、人間の屑《くず》がやることです」とさえいう。

私は前に反対を押し切り、両親の意に染《そ》まない大学進学をしている。そのことはやはり後ろめたさとしてあったし、ジャーナリスト志望もただ文章を書くのが好きというだけで、是が非でもというものではなかった。それに、若いなりに戦後いろいろな経験を重ねて、おじいちゃんもいくらか人間的に成長していた。私は敗戦の挫折《ざせつ》で人に倍する苦しみをなめたと思っていたが、そんな自分よりも両親のほうがどれだけ苦しく切ない思いをしたか、少しはわかりかけていた。だから、ここは一つ、親孝行をしておくことにしようと妥協した。

しかし、陰に陽に両親が勧める官庁関係には、前に述べたような理由で、どうしても行く気がしなかった。

これからの日本にとって重要なのは経済だ、と私は考えていた。戦争に負けて、GHQによって軍隊は根こそぎ解体させられ、国が拠《よ》って立つ基盤にはならなくなっている。とすれば、日本を立て直していくには経済を盛んにしていく以外にはない。そのためには民間会社に入り、一つの歯車となって、日本の経済力を高めるために力を尽くしていこう。これが大学生活で得た考えでもあった。

## 仕事は一人ではできない

おじいちゃんは二社の就職試験を受けた。一つはアサヒビール。もう一つは千代田銀行（いまの東京三菱銀行）。

千代田銀行を受けたのは、もちろん経済活動の基盤となるのは金融機関だということもあったが、民間なら銀行へという両親の意向を受けて、多分に義理めいた気持ちからだった。それよりも私が考えていたのは、食品関係の会社だった。

食品関係を考えたのは、そのころの食糧事情が大きかった。終戦後七年を経過していたが、まだまだ食糧不足は続いていた。その状況から、世の中がどのように転がろうと、人間生活にとってまず何よりも不可欠なものは食糧だと考えたことが大きな動機になっている。

数ある食品関係の会社からアサヒビールを選んだのは、いろいろ調べてみて、当時の社長だった山本為三郎という人の経営に対する考え方や取り組みに共感したからだ。こういう人のもとで働きたいと思ったのだ。

この選択は間違っていなかったと思う。私はこの人のもとで鍛えられ、力いっぱい仕事をし、人間的に多少なりとも成長することができたと思っている。

景子は将来どうするつもりか知らないが、仕事に就《つ》くなら、自分がやりたいことを仕事に選ぶのは当然として、仕事は決して一人ではできないということを心得ておくべきだ。人間関係が重要になる。尊敬でき、共感できる人物とともに働くことが、とても大切だ。そして、リーダーがそういう人なら、いうことはない。必ず充実した仕事ができるはずだ。このことを忘れてはならない。

ところで、就職の内定が先に出たのは千代田銀行のほうだった。その内定通知を受けると、私はすぐにアサヒビールに飛んで行って、「私はアサヒビールに入りたいのだが、千代田銀行から内定をもらった。アサヒビールが早く採用を決定してくれなければ、千代田銀行に行くしかない。採用するのかしないのか、返事がほしい」と直談判《じかだんぱん》に及んだ。当時もなかなかの就職難だったから、こんな生意気な、半《なか》ば脅迫めいた申し出をして、「それなら、うちは結構。千代田銀行に行きなさい」といわれても仕方のないところだった。だが、私のような学生は珍しかったのだろう。のちに社長になった中島正義という人事部長まで出てきて、それほど熱心なら、ともかく採用ということにしよう、という結論になった。そんなことを懐かしく思い出す。

当時、アサヒビールは業界第二位で、ビールのシェアは三三%だった。だが、飲料水部門には三ツ矢サイダーという絶対的な強みを持つ商品があった。これなら景気がどうなってもつぶれることはないだろうという個人的な思惑も、アサヒビールを選んだ理由の一つとして、ないではなかった。

だが、変化の目まぐるしいビジネスの世界で、最初から安定を望むのは、そもそもの間違いなのだ。安定はそこにあるものではなく、自分で切り開き、つかみとっていくものなのである。ビジネスの世界では安定は停滞と同義語なのだということを、景子も心得ておいたほうがいい。

アサヒビールがそうだった。どんどんとシェアを落とし、磐石《ばんじゃく》と思われていた三ツ矢サイダーも停滞し、青息吐息、すぐに倒れても少しもおかしくない状態にまで落ち込んでしまうのだ。

そうなったのにはそうなるだけの理由がある。そして私は、営業本部長として会社の立て直しに奮闘《ふんとう》することになる。仕事は一人ではできない。すぐれた上司、志をともにする同僚や部下、そして、その志に感じてくれる取引先、そういった人間関係のなかでこそ、大きな仕事はできるのだ、というのは、そのときの経験で得た私の実感だ。いま振り返っても、アサヒビール再建に奮闘した時期はおじいちゃんの人生のハイライトであり、そこから得たものは大きい。だが、それを語るのは景子の質問の範囲から逸脱するので、ここでは割愛《かつあい》しよう。

実はおじいちゃんは五年前の一九九三（平成五）年に一冊の本を出版してい

る。私のビジネスマン人生を綴《つづ》ったものだ。題名は『立志の経営』（致知出版社刊）。これはなかなか好評で、一気にバーンと売れてベストセラーというわけにはいかなかったが、着実に読まれ、いままでに十二刷を数えている。お母さんは持っているはずだから、読んでみるといい。いや、景子にはぜひ読んでほしいと思う。

# Ⅲ　戦争の本質について

「あってはならない戦争を、日本とアメリカはやったのだ。その責任は日本とアメリカ双方にある。日本は中国大陸に戦線を拡大して誤った。アメリカは日本を戦争以外の選択肢がないところに追い込んで誤った。双方がそういう過ちを犯したのだということをきちんと認識しなければならない」

終戦直後の新宿。正面の建物は伊勢丹、右が三越

［質問9］
一九四一（昭和十六）年十二月八日、日本とアメリカは戦争に入りました。この戦争をおじいちゃんはどう考えますか。日本にとって正しい戦争だったと思いますか。

## 国益の視点に立つ

これは重要な質問だ。おじいちゃんも力を入れて答えることにしよう。明治維新によって近代国家に脱皮した日本にとって、白人国家である欧米列強の帝国主義、なかでもソ連（ロシア）の南下政策が脅威《きょうい》として常に意識されていたことはすでに述べた。明治から大正、昭和にかけての日本の政策、国家としての行動の核になったものは、すべてこれだったといっていい。朝鮮併合も満州国独立も、この文脈のなかで理解されなければならない。

日本にはソ連に備える意識はあっても、アメリカと対立し、まして戦争するといった事態は、予測もしていなかった。これは近代日本の伝統的意識といっていいものだ。日本とアメリカが戦った第二次世界大戦を考えるのに、まずこのことを知っておかなければならない。

日本がどんなにソ連の脅威を意識していたか、アメリカと戦う気などなかったか、例を挙げよう。

陸軍士官学校でおじいちゃんが学んだ語学はロシア語だったのだ。ロシア語教育は日本陸軍の伝統といってよく、陸軍幼年学校から熱心に教えていた。ほかでもない、ソ連の脅威に備えるためだ。

私が陸軍士官学校に入学したのは、一九四四（昭和十九）年だ。すでに太平洋戦争がはじまって二年余が経過し、日本軍はイギリス軍を攻撃するためのインパール作戦に失敗、太平洋ではアメリカ軍がマーシャル群島に上陸して反攻に転じた時期である。その時期になってもなおロシア語教育に力を入れていたというのは、日本がどんなに強くソ連を意識していたかを示すものにほかならない。

しかし率直にいって、アメリカはこのことを理解していなかった。あとになってアメリカは、日本にとってソ連の存在がどんなに大きなものだったかを知るのだが、それはいずれ触れることにしよう。それよりもアメリカは太平洋を隔てた彼方に日本が近代国家として擡頭《たいとう》してくるのが目障《めざわ》りだったのだろう。日本に対しては終始批判的で冷《ひや》やかだった。その兆《きざ》しは、前にもちょっと触れたが、日本が日清戦争に勝つと、カメハメハ王朝によって統一された王国だったハワイを併合してしまったことにうかがえる。また、日本からの移民を排除したり圧迫したり、といったことをアメリカはしばしばやっている。これもアメリカが日本を強く意識していたことの表れだ。

ついでにいえば、ソ連(ロシア)の進出を抑えにかかる日本の行動は、中国大陸に権益を拡大しようとするイギリスにとっては好都合だった。だから、日露戦争ではイギリスは日本を援助して資金や軍備の調達に力を貸し、日英同盟を結んでいる。

その後の中国大陸の状況の変化にともない、アメリカはイギリスに日英同盟の破棄《はき》を強力に働きかけた。イギリスもまた、中国大陸に進出して影響力を強める日本が邪魔になり、アメリカの意を受けて日英同盟を破棄することになる。このような動きでも明らかなように、アメリカは日本に常に警戒感を抱いていた、という歴史的経緯《けいい》がある。

日露戦争の勝利は、白人に対する黄色人のはじめての勝利であり、黄禍論《おうかろん》の源となった。一九二四（大正十三）年五月には排日移民法がつくられた。さらに驚くべきは、このころアメリカは陸海軍統合委員会をつくり、日本を仮想敵《かそうてき》国《こく》として「オレンジ計画」を樹《た》てていた。景子が知りたかったらいつでも話してあげるが、この計画は、原子爆弾投下を除いては、ほぼ忠実に実行されたのだ。

それにしても、ここでは詳細には記さないが、大正から昭和のはじめにかけての各国の動向を見ると、だれにでもわかるのは、どの国も自国の国益を最優先にしているということである。国民国家は自国の国民の安全と生命と財産を守るためのシステムなのだから、国益最優先が行動原理となるのは当然なのだ。これはいい悪いの問題ではなく、国際社会に働く力学の現実なのである。その点では日本もアメリカも例外ではない。

だから、二つの国の利益が相反したとき、一方にとっては正義でも、その正義は相手国にとっては正義ではない、ということが起こる。これもまた、当然のことだ。

実はこのようなことは常識以前の常識であって、いわずもがなのことなのだ。それをあえていわなければならないのは、戦後の日本にはあまりにも国益を無視した議論が多いからである。日本の国益にとってどうだったのかという視点を欠いたまま、近現代史を論じることが非常に多い。これでは歴史的事実を認識するのに、リアリティを欠くというものだ。

日本人が国益に比較的鈍感なのは、敗戦から終戦後の一時期を除いて、国家存亡の危機を痛切に経験したことがないからだろう。だが、国家によって安全と生命と財産を守られなくなった人びとの悲惨さは、筆舌《ひつぜつ》に尽くしがたいものがある。それは現在も世界各地で起こっている地域紛争で発生する難民の姿を見れば、容易にわかるはずだ。

景子も世界中のお友だちがいるのだから、機会を見つけて東南アジアの国々を一度訪ねてみなさい。長い植民地時代に味わった国なき民族の惨《みじ》めさ、切なさの声が聞こえてくるに違いない。

国家とか国益とかいう前に、人類愛、ヒューマニズムのほうが重要だという議論がある。だが、それは理想的というよりも空想的である、と私は思う。国家があり国益が守られてこそ、ヒューマニズムはその機能を発揮することができるのだ。それが現実というものである。

景子も、アメリカ史に限らない、日本史でもヨーロッパ史でも世界史でも、特に近現代史を学ぶときは、その国の国益という視点に立って事実を見ていくことを忘れてはならない。そうでないと、一方的な見方しかできなくなってしまうからだ。

## 傲慢の戒め

さて、そのような情勢のなかで起こったのが支那事変《しなじへん》である。一九三七（昭和十二）年七月、大陸の盧溝橋《ろこうきょう》で日本軍と中国の軍隊が衝突、戦争に発展したのだ。

当時、中国は国内が諸外国の権益拡大に蚕食《さんしょく》される一方で、蔣介石《しょうかいせき》の率いる国民党軍と毛沢東《もうたくとう》の率いる共産党軍が対立し、内戦状態にあった。そして、共産党軍は国民党軍に圧倒され、山奥に逃げ込まなければならない状態だった。

盧溝橋での日本軍と中国の軍隊との武力衝突がなぜ起こったのかには、諸説がある。日本軍は一九〇〇（明治三十三）年に起こった北清事変の後始末として清朝政府との間に結んだ議定書に基づいて、イギリスやフランスとともに北京・海浜間の要所に駐留《ちゅうりゅう》していた。いま日米安保条約に基づいてアメリカ軍が日本に駐留しているのと同じようなものだ。そして、盧溝橋で軍事演習を行っていた。そこに中国の軍隊が発砲してきたので、日本軍が反撃した。これは盧溝橋事件についての日本側の主張だ。一方、中国側は日本軍が先に中国の軍隊に向けて発砲、挑発したと主張する。最近の研究では、追い詰められた共産党軍が国民党軍を装って日本軍に発砲したのだという説が有力になっている。日本軍と国民党軍を戦わせることで、蔣介石の国民党軍の力を削《そ》ぐのが狙《ねら》いだったというわけだ。

どれが正しいかは、私にも考えはあるが、ここでは触れずにおこう。だれがどういう意図で先に発砲したかは、歴史の大局から見れば、それほど重要な問題ではないからだ。確かなのは、盧溝橋で武力衝突があったということだ。その衝突は小規模なものだった。肝心なことは、さてそれからどうしたか、ということである。

　小規模な武力衝突なのだから、そこで収めて、交渉によって収拾を図ることはできたはずである。事実、日本政府には不拡大方針をとる考えが有力だった。にもかかわらず、現地では戦線を拡大させて戦争に突入していった。これが日本の岐路《きろ》だったと私は思う。そして、この岐路において、日本は決定的な過ちを犯してしまった、と残念ながらいわなければならない。過ちというのは、ほかでもない、拡大方針は日本の国益に反することだったからだ。

　そのころ、〝われらがテナー〟と称された藤原義江《ふじわらよしえ》という人気オペラ歌手がいた。その藤原義江が歌ってヒットした『討匪行《とうひこう》』という歌のなかに、「どこまで続く泥濘《ぬかるみ》ぞ」という一節がある。中国大陸に戦線を拡大させることによって、日本はまさにこの歌詞どおりに、抜け出そうとして抜け出せない、どこまでも続く泥濘にはまり込んだような状態になってしまったのだ。中国大陸は広い。いくら敵を攻め落とし都市を占領しても、点と線しか支配できない。一つひとつの戦闘には勝っても、いつになったら最終的勝利を握ることができるのか、さっぱり先が見えない。この泥沼状態の果てに、日本はついにアメリカと戦火を開くことになってしまうのである。盧溝橋事件から第二次大戦が日本の敗戦によって終結するまでの八年間、日本は戦争状態から抜け出せなくなり、もがき苦しんで多くの悲劇や悲惨を生み出し、すべてを失ってしまうことになったのだから、慚愧《ざんき》の極みというほかはない。

日本が中国大陸に戦線を拡大し、戦争に突っ込んでいったのは、やはり軍部の責任といわなければならない。軍部が突出して拡大方針を推進したのだ。軍部が突っ走ったのは、日清・日露の戦争に勝って軍事的に成功したことが驕《おご》り高ぶりとなって、傲慢《ごうまん》になっていたからだ、と思わないわけにはいかない。傲慢になると、情報を集め、それを分析し、どの選択肢をとるのかの冷静な判断ができなくなってしまう。そこに過ちが生じる。二十世紀を通しての歴史のなかで、日本がもっとも反省し、学ばなければならないのは、この点だろう。

もっとも、日本は最近も傲慢の過ちを犯したのではないだろうか。バブル経済とその崩壊がそれだ。

日本は高度成長を成し遂げて先進国の最先端に立つ経済力を身につけ、大きな経済的成功を収めた。それが驕り高ぶりとなり、多分に傲慢になっていたことは否定できない。それがバブル経済を生み、破綻《はたん》して深刻な不景気に沈むことになった原因といえる。

しかし、軍事面と経済面と、二つの分野で日本は二十世紀に大きな過ちを犯し、塗炭《とたん》の苦しみをなめた。それだけに学んだことも大きいはずだ。また、学ばなくてはならない。二十一世紀の日本はもっと賢明になるだろうとおじいちゃんは思いたい。

## ＡＢＣＤ包囲網の兵糧攻め

日本の中国大陸への戦線拡大が、アメリカに明確な日本に対する敵視政策をとらせることになった。アメリカはＡＢＣＤラインという包囲網を構築し、日本に圧力を加えてきたのだ。ＡはAmerica、ＢはBritainでイギリス、ＣはChinaで中国、ＤはDutchでオランダ。この米・英・中・蘭四国が同盟を結び、日本に経済制裁を加えてきたのである。日本を経済的に封じ込め、兵糧攻《ひょうろうぜ》めにしようというわけだ。この同盟を主導したのは、もちろんアメリカである。

景子も知っているとおり、日本は資源小国だ。ＡＢＣＤ同盟の包囲網による経済封鎖は、日本経済を直撃した。石油、石炭などのエネルギー源が乏しくなり、当時の基幹産業である製鉄業は鉄鉱石が入らなくなる。それにともなって工業が細っていく。ひいてはじりじりと国民生活が圧迫されることになった。

この事情はいまでも変わらない。もしいま、貿易が断たれたら、と考えてみるがいい。日本という国が成り立たなくなってしまう。いや、一九三〇年代から一九四〇年代にかけてのあのころより、いまのほうが深刻だろう。国際間の経済的な相互依存関係は深まり、日本は食料さえかなりの部分を輸入に頼っているのだから。

考えてみると、経済制裁というのは経済大国であるアメリカのお得意の手法なのだ。国際政治の舞台で、空母などを派遣して軍事的圧力を加えるのと並行して、いまでもこの経済制裁をしきりに使っている。アラブの異端児イラクの反米的政策に対して経済制裁を加え、中国の人権問題に対しても経済制裁を持ち出す、といったことをやっているのは、景子も知っているとおりだ。

もっとも、アメリカの経済制裁はいまではそれなりに巧妙になっている。全面的に封じ込めて息の根を断つようなことはせず、一部だけを封じたり、ある部分をゆるめたりする手法をとる。経済制裁というのは相手国の国民生活に直接響く。それが経済制裁の狙《ねら》いでもあるわけだが、それだけに国民感情の悪化は免《まぬが》れない。そのあたりのバランスをとりながら、相手国を交渉のテーブルにつかせ、妥協を引き出すために、厳しくしたりゆるめたり、ということをやるわけだ。

だが、ＡＢＣＤラインの包囲網のやり方は、結果から見て稚拙《ちせつ》だったというほかはない。いや、アメリカはＡＢＣＤラインの構築を日本を封じ込めることで妥協させるという意図でやったものなのかどうかさえ疑わしい、と私は思っている。アメリカは最初から、日本を戦争に追い込むつもりだったのではないか。日米開戦までの経過をたどると、そう思わざるを得ないのだ。前にも話したように、対日戦争を考えて、アメリカがオレンジ計画なるものを構築していたことが、その証明になる。これはすでに内外に明らかになっていることだから、詳しく知りたければ、Ms.Wood に質問してみるといいだろう。

ＡＢＣＤラインによる封じ込めは、日本には応《こた》えた。経済がタイトになり、国民生活が圧迫された。この打開のために、日本政府はアメリカ政府と交渉しようとした。しかし、アメリカ政府の反応ははかばかしくなかった。日本は野村吉三郎《のむらきちさぶろう》駐米大使のほかに来栖三郎《くるすさぶろう》という人を臨時大使に任命して、交渉に当たらせた。二人の大使はアメリカ大統領との会談を強く申し入れた。そのとき、日本側はＡＢＣＤ同盟の包囲網を解いてもらうかわりに、中国大陸からの撤兵《てっぺい》さえ考慮に入れていたのだ。これは風説《ふうせつ》や憶測《おくそく》などではない。ちゃんと記録に残されていることなのである。

ところが、当時のルーズベルト・アメリカ大統領は話し合いの場に出てこない。代わって日本側に対応したのは、ハル国務長官である。

歴史に「もし」などというのは意味のないことである。だが、ここではどうしても「もし」といいたくなる。

もし、ルーズベルト大統領が話し合いの場に出てきたら、いや、ハル国務長官でもかまわない、日本とアメリカが交渉のテーブルについて問題の打開について誠心誠意話し合ったら、日本は中国大陸から撤兵し、アメリカはＡＢＣＤ

包囲網を解くということになって、日米開戦は回避できたのではなかったか。これは空想でも妄想《もうそう》でもない。少なくとも日本側は妥協の条件を用意していたのだから。

ところが、アメリカ側はのらりくらりとするばかりで、交渉の要求にも示した条件にも返答しなかった。そして、ハル国務長官は一九四一（昭和十六）年十一月二十六日、突如野村駐米大使と来栖臨時大使を呼び出し、アメリカの対日要求を通告したのである。この通告は「ハル・ノート」と呼ばれている。

アメリカはオープンな国だ。「ハル・ノート」は公開されており、いまではだれでもいつでも読める。コンピューター通信が発達したいまは、一層手に入れやすいだろう。景子もぜひ読んでみるといい。できればクラスメートにも読んでもらいたい。この「ハル・ノート」をきみたち若い世代がどう判断するか、聞きたいものだ。

## 戦争以外に選択の余地はなかった

「ハル・ノート」、つまりアメリカの対日要求は、日本にとっては寝耳に水、予想もしないものだった。

日本は中国大陸から軍隊を全部引き上げる、仏印（仏領インドシナ、いまのベトナムはフランスの植民地だった）からも撤兵する、などがアメリカの対日要求の主なものだった。

このような要求は予想できないでもない。だが、日本にとって寝耳に水だったのは、その前提がまるで違っていたことである。アメリカの言い分は、日本がこれらの要求をすべて呑《の》めば、ＡＢＣＤラインを解く、というのではないのである。日本がこれらの要求を呑んだら、ＡＢＣＤラインをどうするかの話し合いに応じるというのだ。

おじいちゃんは政治的な外交交渉のことは知らないが、ビジネスの世界では取引条件などをめぐって、何度も交渉を経験してきた。そんなとき、相手に条件を呑ませようとして一方的に妥協を求めてもだめだ。そんなことでは交渉が成り立つものではない。相手に妥協を求めるなら、こちらもそれなりに妥協しなければならない。これは交渉ごとの常識だし、国際政治の世界でも同じことだと思う。

ところが、ハル国務長官が突きつけたアメリカの対日要求は、アメリカは一点の妥協もせず、いささかの犠牲も払わず、一方的に日本が要求を呑んで丸裸になれ、といっているのだ。しかも、日本が丸裸になれば、ABCDラインを解くというのではない。日本が丸裸になったら、その上ではじめて話し合いに応じようというのである。まるで目茶苦茶であることは、だれにでもわかることだろう。

しかも、これが最後である、これ以外の条件はあり得ない、とハル国務長官は気色ばんだ。

日本は追い詰められた。そのままにしていれば、日本はへたってしまう。といって、ハル国務長官が示した対日要求は呑めるものではない。呑めば、こちらは丸裸になって、交渉する際の取引カードがなくなってしまう。要求を呑んで話し合った結果、ABCDラインは解かないと突っぱねられても、どうすることもできないのだ。座して死を待つか、一戦を挑むか、二者択一の心境に追い込まれたとしても、無理はないだろう。

こうして、日本はついにアメリカに対して戦火を開くことになったのだ。プロイセンの将軍で有名な兵法家でもあるクラウゼヴィッツは、その著書『戦争論』のなかで、「戦争は他の手段による政治の表現」といっているが、まさにそのとおりで、国際法上認められている手段で日本が政治的主張を表現するには、戦争しか残されていなかったということだ。

振り返ってみても、日本の選択肢はそんなになかったと私も思う。屈伏《くっぷく》してアメリカのいうがままになるか、戦って一矢《いっし》を報いるか。歴史や文化、伝統に誇りを持つ国家なら、相手の主張を唯々諾々《いいだくだく》と受け入れてその下にひれ伏すなどできることではない。とすれば、戦う以外にないではないか。

日米開戦までの経緯をたどると、アメリカは最初から日本と戦争するつもりだったのだ、と私には思えてならない。戦争しか選択できないところに日本を追い込むことが、最初からの狙いだったのだ。

もしそうでないというなら、交渉を求める日本にはかばかしい反応を示さず、「ハル・ノート」でいきなり理不尽な対日要求を突きつけてきたやり方は、外交交渉としては稚拙の最たるものだったといわなければならない。

アメリカの意図がどうだったにしろ、結果として日本を戦争以外には選択の余地がないところに追い込んだのは、アメリカの過ちである。このことは明確にいっておかなければならない。

## 結果でものごとをとらえる誤り

ところで、Ms.Wood はアメリカ史で、日米開戦にいたる経緯をどのように教えているだろうか。

おじいちゃんはこれまで渡米した折などに、機会があれば、日本とアメリカが戦うにいたったいきさつをどのように考えているか、何人かのアメリカ人に聞いてみたことがある。

日本は他国を侵略する意図を強く持った国で、中国大陸を侵していたが、今度はアメリカに牙《きば》をむき、宣戦布告もせずに攻撃してきた。アメリカは日本と戦争するつもりなどまるでなかったので準備ができておらず、緒戦《しょせん》は敗北を続けた。だが、国家の危機に国民は立ち上がり、国力を総動員して反撃に転じ、ついに日本を敗北させた——多くの人がこのように考えているようである。おじいちゃんが接触するアメリカ人はビジネス関係がほとんどなので、歴史について深く考えているとはいえないようだ。それだけにかえって、アメリカ人の多くがこのように考えていることを示しているように思う。

ということは、学校の歴史の授業でこのように教えているからということではないか。

そういえば、アメリカでは日本が宣戦布告前にハワイの真珠湾を攻撃したことをしきりに強調する。"Remember Pearl Harbor"（真珠湾を忘れるな）のスローガンは、景子が使っているアメリカ史の教科書にも書かれているはずだ。

確かに日本の開戦通告は、真珠湾攻撃より遅れてしまった。これは国際法違反であり、遺憾《いかん》というほかはない。

アメリカはこのことを材料に、ことあるごとに"Remember Pearl Harbor"

を繰り返す。ほかでもない、日本は宣戦布告もなしに奇襲攻撃をかけてくる卑《ひ》劣《れつ》で不正な国であることを印象づけるためだ。そのことによって、第二次大戦で日本と戦ったのは、アメリカにとって正義の戦争だったのだ、と強調するためである。

百歩譲って、戦争の最中に国民の気持ちをまとめ、士気《しき》を高揚《こうよう》するため、というのなら、このようなプロパガンダも認められないではない。だが、戦争が終わって五十有余年が過ぎたいまでも、同じような主張がなされているとしたら、それはアメリカにとってもいいことではない、と私は思う。

真珠湾攻撃よりも開戦の通告が遅れてしまったことは事実である。だが、記録を見れば明らかだが、それは日本が意図してやったことではない。真珠湾攻撃より宣戦布告が遅れたのは、単純な手続き上の行き違いがあったからだ。そしてそれは、日米開戦の本質ではない。

何が本質かといえば、いきなり「ハル・ノート」を突きつけたアメリカの交渉のやり方にある、と私は思っている。そのことをMs.Wood はアメリカ史でどのように教えているだろうか。

人間というのは、ともすればものごとを結果で考えがちだ。勝ったからすべてよし、負けたからすべてが悪かった、というふうにだ。第二次大戦を考えるのに、日本にもアメリカにも確かにその傾向があると思う。

終戦直後、日本では「一億総懺悔《いちおくそうざんげ》」ということがしきりにいわれた。当時、日本の人口は約一億人といわれていた。味噌も糞も一緒くたにして、戦争に負けたのは国民全部が悪かったからだ、すべて日本が悪かったのだ、だから、懺悔しようというわけだ。結果からものごとを考える典型だろう。

もう一つ、例を挙げよう。広島の平和記念公園に原爆慰霊碑がある。そこにはこのような銘文が記されている。

「安らかに眠って下さい。過ちは繰り返しませぬから」

これは広く論じられているところだが、この銘文には主語がない。だれが「過ち」を犯して、だれが「繰り返さない」といっているのか、わからない。だが、ニュアンスとしては、「私たち日本人」が「過ちは繰り返しませんから」と誓っているように受け取れる。この銘文を書いた人も、そういう気持ちだったのだろう。

しかし、これはおかしい。広島に原爆を投下したのはアメリカなのだ。非戦闘員の一般市民の殺傷《さっしょう》を狙い、広島を全滅させようと狙った原爆投下は、明らかな国際法違反である。過ちを犯したのはアメリカなのだ。「過ちを繰り返さない」と誓うのは、アメリカでなくてはならない。だが、アメリカは原爆投下によって戦争が早く終結し、それだけ被害を少なくすることができた、と正当化している。「過ちを繰り返さない」と誓う気配はない。

自分の過ちではないものを自分の過ちであるかのようにとらえる日本。正当化して過ちを認めないアメリカ。勝った負けたの結果からものごとをとらえる傾向が、ここに見られる。

だが、これではいけない。これでは歴史に学ぶことはできない。

## 歴史に学ぶ

さて、あの戦争は正しかったと思うか、という景子の質問に答えなくてはならない。

これまで述べてきたことで、もうわかるだろう。戦争の正邪は軽々しく判断すべきではないし、またできるものでもない。

ただ一つ、確かにいえることは、戦争はあってはならないものだということだ。勝つにしろ負けるにしろ、戦争がもたらすものは悲惨でしかないからだ。

大切なのは、正しかったか悪かったかを考えることではない。結果にとらわれず、その中身を一つひとつ正確に吟味して、いいはいい、悪いは悪いときちんと整理をつけて把握することだ。そうしてこそ、歴史に学び、その教訓を未来に生かすことができる。

あってはならない戦争を、日本とアメリカはやったのだ。その責任は日本とアメリカの双方にある。日本は中国大陸に戦線を拡大して誤った。アメリカは日本を戦争以外の選択肢がないところに追い込んで誤った。双方がそういう過ちを犯したのだということをきちんと認識しなければならない。

ところが、結果からものごとを見てしまいがちな人間の性向《せいこう》で、戦争に関して日本はすべてが悪かった、アメリカはすべてが正しかったと考える傾向が確かにある。特に日本にはその傾向が強い。

これではいけない。戦争の教訓を真に生かすことはできない。

景子が誤解しないように再度いっておくが、おじいちゃんは決して戦争を讃《たた》えているのでも肯定しているのでもない。きみも感じていると思うが、いまの日本人は過去の戦争については自虐《じぎゃく》に陥《おちい》っている。総理大臣すらが自虐的になり、こと戦争に関係することになると「お詫《わ》び外交」一辺倒《いっぺんとう》になってしまう。

詫びなければならないものは、率直に詫びなければならない。しかし、日本はすべて悪かったととらえて、ただただペコペコと頭を下げるばかりなのは、歴史を正しく認識しているとはいえない。むしろ、歴史に対する冒瀆《ぼうとく》である。自分が生まれ育った国に唾《つば》するものである。

いうべきことはきちんと主張しなければならない。そうでなければ、国益を損なってしまう。

おじいちゃんは自虐に陥っているいまの日本を深刻に憂えるだけに、きみには少々難しいかなとは思ったが、開戦の経緯をいささか詳しく述べたのだ。

だが、詳しいとはいっても、おじいちゃんの述べたことも、まだまだ概略にすぎない。日米開戦にいたる経緯については、しっかりした資料がある。瀬島龍三著『大東亜戦争の実相』（ＰＨＰ研究所刊）だ。これは一九七二（昭和四十七）年、ハーバード大学の求めによって、国際関係学者約五十人を前に瀬島氏が行った講演の記録である。アメリカ史の授業で、おじいちゃんの答えと併せて、この本をサブテキストに使うよう、Ms.Woodにお願いしたいものだ。

それはともかく、景子はいままでおじいちゃんが述べた点を十分にわきまえて歴史を学んでほしいと思う。そして、歴史の教訓を生かす生き方をしてほしいと思う。

歴史の教訓を生かす生き方とはどういうことか。

きみたちの世代には、いまのような経済大国でなくてもいいから、世界から尊敬される日本になるよう、国づくりに尽くしてほしいし、働いてほしいのだ。国とか世界とかを考えると、きみは小さな存在かもしれないが、一人ひとりがそのように考え、心を定めるところから、そういう国づくりははじまるのだ。それが歴史の教訓を生かすということだ。

［質問10］終戦直後の日本は、とてもひどい状態だったと聞きます。どんな様子だったのですか。

## 焼け野が原の明るさと活気

　終戦直後のことは先にもちょっと触れた。だが、陸士という閉鎖社会にいたおじいちゃんの見聞《けんぶん》は限られているし、日本人全体の経験からいえば、特殊なものといえるようだ。だから、戦争直後の日本の様子を述べるには、おじいちゃんは適格者ではないのかもしれない。

　それでも、ちょっとした見聞や情報に基づいて、当時の様子をいくらかは伝えることができる。

　アメリカは首都圏はもちろん、地方の小都市にいたるまで、徹底的に空襲攻撃を浴びせた。それは軍事施設だけを狙ったものではなかった。軍事施設も一般庶民も区別しない無差別攻撃だった。戦前の日本はほとんどが木造建築だったから、焼夷弾《しょういだん》で簡単に火の海になったのだ。

東京や横浜は焼け野が原だった。建築物のほとんどが焼失、崩壊してしまって、文字どおりの原っぱになってしまったのだ。焦土と化す、という表現は決して大げさではない。すっかり復興し、戦災の傷痕《きずあと》さえ見つけるのがむずかしい現在からは、当時の様子は想像もできないだろう。

戦後、私がはじめて信州から東京に出てきたときの様子は、鮮明に覚えている。人びとは焼け野が原に呆然《ぼうぜん》としながらも、住むところがなくては暮らしていけないから、焼け残りやあり合わせの材料で粗末なバラックを建てて住んでいた。少しましな建築があっても、それはいまから見れば、バラックに毛が生えた程度の建物でしかなかった。そういう建物が焼け野が原を埋めつつあった。焼け残りのビルがあちこちにぽつんぽつんと建つ程度で、もちろん高層建築など建つわけがないから、東京は妙に見晴らしがよかった。いまではビルにさえぎられてなかなか望むことができないが、そのころは東京のあちこちから富士山がよく見えたものだ。

物資は何もかもが不足していた。戦争中、工場は次々に軍需《ぐんじゅ》工場に転用されたから、物資の不足は慢性化していた。おまけにその工場は空襲で次々と叩《たた》きつぶされ、日本の工業生産力はゼロに等しくなっていた。生活必需品にも事欠くありさまだった。

だから、人びとは戦前からの物をつくりなおして、使っていた。いまではリサイクルというと、特別の心掛けが要《い》ることのようにいうが、当時はリサイクル以外には物がなかったのだから、生きていくにはそれが当たり前だったのだ。

食糧難はいうまでもない。だれもがひもじさを抱えていた。腹いっぱい食べることが夢だった。飽食《ほうしょく》の時代といわれるいまでは、米といっても〝コシヒカリ〟だ〝あきたこまち〟だと質を問題にするが、当時は味などはどうでも、米でさえあればよかった。混じりっけのない真っ白な米のご飯を銀シャリといったが、そんなものには滅多《めった》にお目にかかれなかった。とにかく食べられる物なら何でも貴重品同然で、人びとは手持ちの衣料品などと引き換えにわずかの食料を手に入れようと奔走《ほんそう》していた。

このように見てくると、おじいちゃんは陸士という閉鎖社会のなかで何もわからずに、日本は負けるはずがないと思い込んでいたが、客観的に見れば、もはや日本に戦争を継続する力などなかったことは明らかだ。当時でもアメリカの情報力は抜きんでていたから、この事実を知らなかったはずはない。わざわざ広島と長崎に原爆を投下しなくても、遅かれ早かれ戦争は終わったのだ。それなのに、なぜアメリカは原爆を投下したのか。ま、これは質問の趣旨からははずれるが、Ms.Wood にはぜひ、アメリカ史の授業で考えてもらいたいものだ。このように、終戦直後の様子は物質的に乏しいことだらけで、惨《みじ》めといえば惨めだった。しかし、このような面だけをとらえて、終戦直後の様子はこうだったと断じてしまうのも正確ではない。

物質的に惨めな半面、妙な明るさと活気もあったのだ。もう空襲はない。戦争に負けてどん底まで落ち、もうこれ以下のどん底はない。失うものは何もないのだから、あとはやるしかない。そんな気分が明るさを生み、活気となっていたのだ。

日本人の民族性の一つに勤勉がある。この明るさと活気が勤勉と結びつき、日本人はたくましく焼け野が原をバラックで埋め、それを立派な建物に建て直し、戦禍《せんか》の傷痕《きずあと》をすっかり消し去って、いまでは世界有数の大都市東京を出現させている。それは復興から高度成長への歩みでもあったのだ。

しかし、これらは表面に見える現象的なことでしかない。戦争による傷痕は深いところに沈潜《ちんせん》し、いつまでも尾を引く。それが戦争というものの本質なのかもしれない。

## 尾を引く戦争の傷

それはこういうことだ。

戦争が終わって、太平洋の島々で戦い敗れた兵隊たちは、次々と復員してきた。だが、戦争が終わっても帰れない兵隊たちがいた。中国大陸のソ満国境近くで終戦間際の一九四五(昭和二十)年八月九日未明に突如《とつじょ》参戦してきたソ連と戦った兵隊たちだ。彼らはシベリアに連れ去られ、強制収容所に入れられた。その数は六十万人ともいわれるが、正確な数はわからない。そして、戦争が終わったあとも何年間も過酷な労働を強《し》いられて地獄のような苦しみをなめ、極《ごっ》寒《かん》の地で多くの人びとが命を落とさなければならなかったのだ。その数もまた、六万人という数字は一応出ているが、正確なことはわからないままだ。

古代なら、こんな残酷なことも行われたのかもしれない。だが、少なくとも近代に入ってからは、このような理不尽は類例《るいれい》がないのではないか。ソ連がやったことは蛮行《ばんこう》の極みである。そのために多くの人びとが長期間苦しみ、生き長らえて帰国した人もその傷をいつまでも引きずらなければならなかった。

原爆を浴びた広島や長崎の人びともそうだ。原子爆弾が炸裂《さくれつ》し、多くの人びとが死に、傷ついた。だが、原爆の悲劇はそれで終わったのではない。むしろ、原爆の苦しみはその後のほうが大きかった。被爆した人びとは放射能の後遺症に苦しみ、毎年命を落とす人が絶えない。それはいまでも続いているのだ。そして、原爆の苦しみは被爆者が死に絶えたら、それで終わるものではない。放射能の影響は次の世代にも及び、これからも続くのだ。このことをアメリカは知っているのだろうか。

広島、長崎の苦しみを知るにつけ、戦争の終わりがすぐそこに見える時点になって、なぜ原爆を投下しなければならなかったのか、とアメリカに問いただしたい気持ちがしきりにする。戦争を一日も早く終わらせ、日米双方の被害を少しでも小さくするため、というのは詭弁《きべん》による正当化ではないのか。原子爆弾をつくった、だから、試しに落としてみたかった、そういうことではなかったのか。そういいたい気持ちがある。

そういえば、景子がニューヨークに行って間もなくのころ、向こうでは授業で原爆をどう教えているかについて、知らせてきたことがあったね。アメリカでは原爆による犠牲者の数を、原爆が投下された瞬間の数だけで教えていて、その後毎年増えていく死者の数は犠牲者に加えていない、ということだった。それに比べて、日本はどうだろうということも景子は書いていたね。日本は事実かどうか曖昧《あいまい》なものまでも日本がやったことだと簡単に認め、自分の国を必要以上に悪者に仕立てて世界にアピールしているように見える。そのことが何だかとっても悔《くや》しく感じられてならない、とも景子は書いていた。

自分がやった好ましくないことの結果はできるだけ小さく見せようとするアメリカ。逆に、自分がやった過ちを誇大にとらえ、自分を悪者に仕立ててみせる日本。そういう傾向は確かにあると思う。そして、このようなまったく反対の反応の仕方は、微妙でありながら、実に重大で基本的な問題を含んでいるように、おじいちゃんは思う。

非戦闘員を戦火に巻き込んではならないとするのが、国際法の基本的な姿勢だ。だが、原爆はその強大な破壊力の性質上、軍事目標の攻撃に限るのが難しく、非戦闘員を戦火に巻き込まないはずがない。つまり、原爆そのものが根本的に国際法に違反する武器なのだ。アメリカはその武器を日本に対して使った。そのやましさをアメリカは十分に感じている。アメリカはそのやましさを打ち消すために、原爆投下の瞬間の死者だけに犠牲者を限定して、できるだけ少なく見せようとし、また戦争を早く終わらせ、日米双方の犠牲者をできるだけ少なくするために、どうしても必要だったのだと、かしましくいい立てている。人間はやましいことがあると、それを打ち消すためにともすれば声高になるものだ。原爆投下の犠牲者数を少なく見せようとするのは、その表れなのだろう。しかし、やましさは消えることがない。犠牲者を少なく見せ、原爆投下は必要だったと声高に主張する裏側で、アメリカ人の心は傷つき、良心の呵責《かしゃく》にさいなまれているはずだ。

逆に、日本は自分がもたらした戦争の結果を、事実も虚構《きょこう》もいっしょくたに誇大視《こだいし》して吹聴《ふいちょう》し、国際社会に向かって謝ってみせる。そういうところが確かにある。景子はそんな日本の姿勢を、何となく悔しい、といったね。それは健全な感じ方だと思う。

悪事を犯した人間が自分のいたらなさを必要以上に誇張してみせ、自分は何とだめな人間だったかと反省し、謝罪してみせる。そうすることで自分の良心を認めてもらい、罪を薄めようとする。こういうことはよく見られることだ。しかし、このようなことは真の反省にはならない。自分の心底は良心的なのだと自己満足し、自分がやったことから少しでも逃れようとする卑屈《ひくつ》さの表れにほかならない。真の反省とは、事実を事実として認めるとともに、虚構は排していくという毅然《きぜん》とした態度からしか出てこない。

日本は敗戦という未曾有《みぞう》の事柄から受けたショックが大きかったせいかもしれない。ペコペコ外交に見られるように、味噌も糞も一緒にして謝り、謝ることで良心的であるかのように装い、何とか許されて国際社会の仲間に入れてもらおうとする卑屈さに染まってしまった。しかし、腰をかがめ、卑屈な姿で国際社会に入っていっても、尊敬を得ることはできない。尊敬されなくて、国際社会にどんな貢献ができるだろう。日本はいま資金的に国連の活動を支え、ODA（政府開発援助）に莫大《ばくだい》な支出をして、国際社会に大きく貢献している。だが、そのような日本の努力は、国際的にはまったくといっていいほど、評価されていない。ほかでもない。日本が根本のところに備えている卑屈さを国際社会から見透《みす》かされ、尊敬どころか、軽蔑《けいべつ》されているからにほかならない。景子が漠然とでも、日本の姿勢を悔しいと感じるのは、そのためなのだと思う。

しかしね、おじいちゃんは基本的に、アメリカは健全な国だと思っている。アメリカはこれまで数々の過ちを犯してきた。世界の超大国の尊大さで、無茶としか思えないようなごり押しをすることもある。日米の経済摩擦が激しかったころは、よくそんなことが見られたものだ。だが、アメリカは環境や条件が変わると、敢然《かんぜん》として過ちを認め、事実を事実として受け入れるダイナミックな健全性を備えている。いまアメリカは原爆投下のやましさを押し隠して突っ張っているが、その結果の事実を正確に認めるときが必ず来ると信じている。

そのとき、アメリカは精神的な意味でも世界の超大国となり、より健全な国になるだろう。

日本もまた、卑屈な自虐性を克服し、反省すべきは反省し、主張すべきは主張する毅然とした態度を回復しなければならない。そうでなければ、日本は尊敬され、国際的に貢献していく国にはなれないだろう。

戦後五十余年、日本はいま経済的に頓挫《とんざ》し、政治も経済も社会も、あらゆる分野でパラダイムの転換を遂げなければならない大変革期に遭遇している。この変革期こそチャンスだ。日本は精神的にも毅然とした支柱を、いまこそものにしなければならない。

おじいちゃんは現在の混沌とした状況に、そのことを期待しているのだ。

## 生きていてすまない

おじいちゃん自身のことを話そう。

おじいちゃんは声は大きいし陽気だし、いつも元気に振る舞っているから、戦争の傷などとは無縁だ、と景子は思っているかもしれない。だが、私の奥底にもまだ傷は残っている。そしてこれは、死ぬまで消えないだろう。

千葉県の四街道《よつかいどう》というところのお寺に、一つの比翼塚《ひよくづか》がある。

終戦のとき、陸士出身の鋉尾《てつお》少佐という人が切腹した。戦争に負けたのは軍人である自分の責任である、天皇にも国民にも申し訳ないとして、命を絶ったのだ。そのとき、鋉尾少佐は新婚半年だった。新妻の玉憙さんは切腹する鋉尾少佐にピストルで介添《かいぞ》え役を果たした。そして、夫である少佐の死を見届けると、自分もピストルで自殺し、後を追った。

比翼塚はその追善供養《ついぜんくよう》のために建立されたものである。毎年、お二人の祥月《しょうつき》命日《めいにち》に法要が営まれる。

鋉尾少佐は人格高潔、純粋に国のために命を捧げて悔いない覚悟で軍務に励んでいた軍人だった。奥さんの玉憙さんもそんな夫を理解し、惜しみない愛情を注ぐことができる女性だった。景子、戦争とはこのように残酷なものなのだ。

そのような立派な人が死んでゆき、私は戦争に遅れて陸士在学中に終戦を迎え、こうして生き長らえている。そのことを思うと、理屈ではなく、すまないという思いに急《せ》き立てられ、お二人の比翼塚にぬかずかずにはいられないのだ。

景子も知っているように、おじいちゃんの住まいは九段にある。すぐ近くにある靖国神社は朝の散歩コースだ。そこには戦争で死んだたくさんの人びとが祀《まつ》られている。私は社殿に向かい、毎日参拝する。すると、必ず込み上げてくるものがある。それは、すまない、申し訳ないという気持ちだ。戦争と向かい合い、国の安泰を願って命を投げ出し、死んでいった人びとがいる。だが、自分は生き残り、ここにいる。そのことが申し訳なく思えて仕方がないのだ。

合理的に考えれば、そんな気持ちを抱く必要はない、ということになるのかもしれない。だが、これは理屈ではないのだ。私にはうまく説明できないが、理屈を超えた、身にしみついた感覚とでもいうべきものだ。

だが、こういう気持ちになるのは、おじいちゃんだけではないらしい。私から上の世代、ことに戦場で戦い、生死の境を紙一重《かみひとえ》で乗り越えた人などは、死んでいった人に対して一層強い申し訳なさを感じている。その気持ちが、戦友たちの死を無駄にしてはならないというエネルギーに転じ、復興から高度成長への道をたどるなかで一所懸命に仕事をさせることにもなったのだが、それでもすまない、申し訳ないという気持ちは消せないという。おじいちゃんもまたそうだ。

あの戦争をくぐり抜けた人たちは、だれもがこんな気持ちを抱いて生きていることを、景子の世代にはぜひ知ってほしいと思う。

そして、こういう気持ちをいつまでも引きずるところにこそ、戦争の本質はあるのだということを知ってほしい。

繰り返すが、戦争ほど残酷なものはない。不幸を大量生産するのが戦争である。戦争は人間が犯す最大の犯罪だといって間違いはない。だからこそ、地球上から永遠になくなってほしいと願わずにはいられない。

しかし、現実に戦争は起こる。そして、多くの人が死んでいく。現に五十余年前に大きな戦争があり、たくさんの人が死んでいった。だが、死んでいった人たちにもちろん罪はない。それどころか、彼らは老いた両親や妻子にさまざまな思いを抱きながら、国のため社会のためにわが身を捧げた人たちなのだ。なぜ、彼らはわが身を捧げたのか。

戦争はなぜ起こるのかといえば、人間が愚かだからにほかならない。だが、その愚かさに負けてしまっては、もっともっと不幸な人が増える。人間の愚かさを少しでも克服するには、身を捧げて国を守り、国民を守ることが絶対に必要なのだ。そのことによって、人間の愚かさが招く不幸は最小限に食い止められ、その愚かさを克服して獲得した賢明さを次の世代に引き継ぐことができるのだ。そのために犠牲を厭《いと》わず、敢然とわが身を投げ出したのが彼らなのだ。

この公のために身を捧げる行為こそ、人間が完全な賢明さを獲得していない現実では、もっとも尊い行為といわなければならない。次の世代の幸福のために殉《じゅん》ずる行為は、尊いという以上に崇高《すうこう》ですらある。

おじいちゃんが毎朝参拝するのは、靖国神社だけではない。日本武道館のそばに弥生廟《やよいびょう》というお社《やしろ》がある。この弥生廟は靖国神社のように知られてはいないが、警察関係や消防関係の殉職者《じゅんしょくしゃ》をお祀りしているお社だ。ここにも必ずお参りしている。

あれは一九七二（昭和四十七）年、景子が生まれる前のことだから、景子は知らないかもしれない。革命を標榜《ひょうぼう》する連合赤軍と名乗る過激派テロリストが、追い詰められて浅間山荘《あさまさんそう》というある会社の保養所に逃げ込み、管理人の奥さんを人質にとって立てこもった事件があった。有名な浅間山荘事件だ。

このとき、二人の警官がテロリストの銃弾に倒れて殉職した。お二人とも子どもを持つ親だった。社会の秩序が崩れたとき、人びとは大きな不幸に苦しむことになる。テロリストを横行《おうこう》させて、人びとの生活を不安に陥れてはならない。そのために社会秩序を守る任務を与えられているのが、警察官だ。お二人は子どものことを思い、妻のことを思えば、死にたくなどなかったことは確かだ。いつまでも生きて、家族の幸福を守りたかっただろう。だが、より多くの人のために社会秩序を守るという使命感に燃えて、公に身命《しんめい》を賭《と》し、殉じたのだ。

私情を超えて公に身を捧げる。こういうことができるのは人間だけである。その意味で、公のために殉じるのはもっとも人間らしく崇高な行為だといえる。だが、近年は公に身を捧げるのが人間としてもっとも尊い行為だという認識が、まったく薄れてしまっている。マスコミは浅間山荘事件の犯人のことを話題にすることはあっても、社会秩序を維持するために事件解決に一命を投げ出した二人の警察官の崇高さを取り上げることはほとんどない。弥生廟のことが関係者以外にほとんど知られていないのも、その表れだ。

景子、これでいいと思うかい。国のため社会のためという公に身を捧げることが人間としてもっとも尊い行為なのだ、という認識が失われたとき、その国はだめになる、とおじいちゃんは思う。そして、日本はそういう国になりつつあるのではないか。おじいちゃんにはそのことが懸念《けねん》されてならない。

景子、きみはいま、国際人としての素養《そよう》を身につけるための絶好の環境で学んでいる。しかし、そこで学ぶものが単に英語に堪能《たんのう》になるとか、外国の友人をたくさんつくるとかいったレベルに止《とど》まってはならない。それでは単に英語屋であり、社交上手であるというにすぎず、真の国際人とはいえない。

真の国際人とは、まず何よりも自国のアイデンティティを身にしみ込ませ、自国の公のために身を捧げるという心棒をしっかり備えていることが第一条件だ。外国の若者は日本の若者よりも押しなべて公に対する意識が強い。お互いがお互いの公に対する意識をしっかり持った上で交わる。そのとき、お互いの違いがはっきりと見え、その違いを認め合うことができる。その上に結ばれるのが真の友好というものなのだ。

日本という国へのしっかりした意識をまず構築すること。それが景子の国際人の第一歩になるのだということを、くれぐれも忘れないでほしい。

## Ⅳ　失われしもの

「日本は戦争に負けた。……何がいけなかったのかを日本人自らが反省し、その上に立って、これからの日本はこうでなければならぬと日本人自らが考え、リフォームしたのではない。日本の占領政策を遂行するマッカーサーのGHQ、つまりアメリカの意思で日本のリフォームは行われたのだ」

東京裁判、東條英機の証言開始（昭和22年12月31日）

［質問11］終戦後、日本の戦争犯罪を裁く極東軍事裁判が行われました。おじいちゃんはこの極東軍事裁判をどう考えますか。

## 二十世紀の汚点

これも非常に重要な質問だ。いまの日本が抱えるいろいろな問題は、この極東軍事裁判、通称東京裁判に端を発すると考えられるからだ。また、おじいちゃんも東京裁判についてはいいたいことがいっぱいある。じっくりと答えることにしよう。

最初に、おじいちゃんの結論をずばりいおう。二十世紀の世界はいろいろな過ちを犯してきた。そのなかでも東京裁判は最大級の過ちであり、汚点である。東京裁判を明確に否定しなければ、日本の将来に暗い影を投げ、支障をきたすことになる。

なるほど、歴史を見ると、勝者が敗者を好き勝手、思いのままに扱うことが古い昔にはあった。それを勝利の美酒といったりした。だが、近代法はこれを厳しく禁じている。

東京裁判はどういう裁判なのか。戦争に勝ったというだけで、勝者が敗者を思いのままに断罪《だんざい》した。それが東京裁判である。近代法の精神に根本的に反している。ここに東京裁判の過ちの基本がある。

正が必ず勝ち、悪が必ず負けるとは限らない。逆もまた真なりで、悪が勝ち、正が負けるということもあるのだ。戦争の勝敗と正邪とは別の次元のものである。戦争に勝ったからといって、敗者を裁く資格などないことに人類は気づき、国際法でこれを禁じたのだ。このことは景子にもわかるだろう。

なのに、なぜ東京裁判は行われたのか。裁判の成り立ちと経過から見て、次のように断言して間違いはない。東京裁判はアメリカをはじめとする連合国側が、自分たちが戦争をしたのは正当であるとアピールするために仕組んだショーである、と。自分たちが正当であることを際立たせるためには、悪が必要である。その悪の役割を戦争に負けた日本に押しかぶせたのだ。このショーをプロデュースしたのは、マッカーサーのGHQである。GHQは日本占領政策を遂行《すいこう》するために、それが必要だったのだ。

何が正で何が悪かを決めるには、公平で客観的な証明の手続きが必要である。そこで、一見公平であり客観的であるかのように装うために、裁判という近代的な形式をとることにした。それが東京裁判だ。

東京裁判はA級戦犯に名指された二十八人（最終的に二十五人）を被告として、一九四六（昭和二十一）年五月三日に開廷した。ついでにいえば、この日は偶然にも、おじいちゃんの二十歳の誕生日だった。それはともかく、東京裁判は一九四八（昭和二十三）年十一月十二日に全員有罪、うち七人は死刑という判決を下して結審《けっしん》した。そして、結審から約一か月後の十二月二十三日、東條英機《とうじょうひでき》ら七人の死刑が執行された。

東京裁判はほぼ二年半かけて審理されたことになる。軍事裁判でありながら、一見それなりに時間をかけて、公平で客観的な審理を尽くしたように見えないこともない。だが、この二年半は、自分たちが正であり日本が悪であることを世界、ことに日本に向かってアピールし、浸透させるために必要な時間だったのだ、といえないこともない。

事実は公平さや客観性とほど遠いものであったことを、これから話してあげよう。

## 事後法の過ち

裁判であるからには、裁くための法律が必要である。ところが、東京裁判の根拠となった法律、「平和に対する罪」は事後法《じごほう》なのである。事後法は近代法の精神が厳しく戒《いまし》めるところのものだ。この一事をとっても、東京裁判は公平でも客観的でもなく、最初から結論は決まっており、裁判の過程は自分たちの正当性をアピールし浸透させるためのショーだったことがわかるだろう。

景子はまだ法律を本格的に学んだことがないだろうから、事後法というのはむずかしいかもしれない。事後法とは、それまでになかった法律をつくり、その法を過去にさかのぼって適用することをいう。たとえば、こういうことだ。

最近は禁煙の風潮が強くなっている。おじいちゃんは愛煙家だから、ふとタバコを取りだして、後ろめたい思いをすることもしばしばあるほどだ。アメリカでは禁煙法を制定しようという動きもあるらしいね。日本はそこまでいっていないが、タバコを嫌う雰囲気は次第に強まっている。

もしの話だが、禁煙法が制定されたとしよう。タバコを吸ってはならないと法律で定められたのだ。こんな法律は悪法だと思うが、悪法でも法は法である。おじいちゃんは善良な市民だから、法律ができたら、それを守る。つらいだろうが、タバコをやめるだろう。ところが、「中條、お前は以前にタバコを吸っていた。禁煙法を犯していたのだから処罰する」とやられたら、どうだろう。禁煙法ができてからタバコを吸ったのなら、処罰されても仕方がない。だが、それまではなかった法律を根拠に過去にさかのぼって、「昔、お前がやっていたことはこの法律に反している」とやられ、捕まって裁判にかけられ、処罰されたらたまったものではない。

いまある法律を信じ、それを守っていれば、生命、安全、財産といった生活のすべては保障される、というのが近代法の基本的精神である。

ところが、アメリカをはじめとする連合国は戦争中にはなかった「平和に対する罪」というのを突如つくって、過去にさかのぼって戦争中のことを裁いたのだ。

こういうのを法に対する冒瀆《ぼうとく》といい、野蛮という。まさに東京裁判は蛮行《ばんこう》中の蛮行である。

東京裁判のすべては否定されなければならない。

東京裁判についての本はたくさん出ている。景子がもっと詳しく知りたいと思うなら、富士信夫著『私の見た東京裁判』（講談社学術文庫）をおじいちゃんは薦める。この著者は東京裁判の審理のほとんどを直接傍聴《ぼうちょう》している。それを記録したものだから、東京裁判がどういうものだったか手に取るようにわかり、判断の客観的材料を与えてくれる。ぜひ、一読を勧めたい。

## パール博士の主張

おじいちゃんは大学で法律を学んだのだが、法律の専門家にはならなかったのだから、やはり素人というべきだろう。そんなおじいちゃんでも気がつき、考えたようなことは、もちろん法律の専門家も考えた。しかも、東京裁判で日本を裁いた勝者の連合国側にも、そういう人はいたのである。

東京裁判では連合国側から十一人の判事が出て審理に当たった。その一人に、ラダ・ビノード・パール博士がいた。

パール博士はインド人である。カルカッタ大学の副総長を務める国際法の権威だった。のちには国連の国際法委員長としても活躍された。

パール博士は東京裁判を批判し、要約次のような意見を述べた。

「東京裁判は、裁判の名を借りた復讐《ふくしゅう》であり、占領政策のプロパガンダにすぎない。真の平和と人道を確立する絶好の機会でありながら、それをなさず、法的根拠もないのに日本を侵略者と決めつけ、多数の個人を処刑することは、二十世紀文明の恥辱である。後世の歴史家は必ずこれを再審するであろう」

そして、パール博士は次のような予言的名句でその意見を結んでいる。

時が熱狂と偏見を和《やわ》らげたあかつきには、また理性が虚偽《きょぎ》からその仮面をはぎ取ったあかつきには、その時こそ、正義の女神は、その秤《はかり》の平衡《へいこう》を保ちながら、過去の賞罰の多くに、そのところを変えることを要求するであろう。

だが、勝者の連合国側、その中心であるアメリカは、パール博士のいうように「熱狂と偏見」に浮き立ち、冷静さを欠いていた。占領政策の遂行のために東京裁判をプロパガンダとして利用することしか頭になかった。パール博士の主張は少数意見として退《しりぞ》けられた。

それだけではない。有色人種であるパール博士は、同じ有色人種である日本に同情し、白色人種に対抗するために連合国側の意見と異なる主張をしたのだ、という風評《ふうひょう》さえ飛び交《か》った。この風評のなかに逆に人種差別の匂《にお》いを嗅《か》ぎ取るのは、私だけではないだろう。

だが、パール博士の主張が純粋に法の正義のためになされたものであることは、いまでは世界の国際法学会の通説となっている。

東京裁判におけるパール博士の主張は、景子たちでも容易に読むことができる。東京裁判の記録は、日本語版では全十巻にまとめられて出されているし、アメリカにもそれはあるだろう。全部を読み通すのはなかなか大変だろうが、ポイントだけでも読んでみるといい。

ところで、この東京裁判についてアメリカではどのような授業をしているのだろうか。Ms.Woodはどのように教えているのだろうか。――と、逆に景子に質問しようとして、日本の中学校や高校では何も教えていないのではないか、ということにふと気がついた。死刑に処せられた七人をはじめとする戦犯を悪者日本の代表に見立て、このような理不尽な裁判が行われ、日本が断罪されたことを知らずにいる中高生は多いに違いない。実に情けない話である。アメリカがどのように教えているか、おじいちゃんに知らせてほしい。

実は一九九七（平成九）年、おじいちゃんも同志の一人に加わって、京都の護国神社にパール博士の像を建立した。この歴史的事実を景子たち若い世代に一人でも多く知ってほしいと願ってのことだ。景子も京都を訪ねる機会があったら、ぜひ行ってみなさい。

## 精神的「カルタゴの平和」

法律を冒瀆し、国際法を犯してまで、なぜアメリカは東京裁判を強行したのだろうか。アメリカは日本に対して、精神的「カルタゴの平和」を目指したのだ。狙いはそれだったのだ。おじいちゃんはそう思っている。

景子は世界史を学んでいるだろうか。「カルタゴの平和」は世界史に出てくる。

カルタゴは商業貿易を得意とするフェニキア人の植民市で、紀元前二世紀ごろ、大いに繁栄した。その繁栄ぶりはいまの経済大国日本の比ではない。世界中の金銀をかき集めた大金持ちの国と思えばいいだろう。カルタゴは地中海の海上権を掌握《しょうあく》する勢いを持っていた。このカルタゴとローマの間にシチリア島の支配をめぐって争いが生じたのがきっかけで、戦争になった。ポエニ戦争である。

ポエニ戦争は紀元前二六四年から紀元前一四六年にわたって三回戦われた。二回目のときはハンニバル将軍率いるカルタゴ軍に攻め込まれ、古代ローマ帝国は存亡の危機に瀕《ひん》したほどだ。だが、結果は三回ともローマの勝利に終わった。

しかし、カルタゴは得意の商業貿易を武器に、先の二回の敗戦から息を吹き返した。三回目の戦争でカルタゴに勝ったローマは、カルタゴがあるからローマの平和が脅《おびや》かされると考えた。どうすればいいか。カルタゴを根絶《ねだ》やしにするのが一番いい。そしてローマはカルタゴを徹底的に破壊し、焼き尽くし、女性から子どもにいたるまで皆殺しにして、カルタゴを地上から消してしまった。かくてローマの平和は築かれた。カルタゴを抹殺《まっさつ》することによって、ローマは平和を享受《きょうじゅ》することができたのである。これを「カルタゴの平和」という。

第二次大戦に勝ったアメリカは、この例にならい、日本に対して「カルタゴの平和」を目指したのだ。しかし、日本の一切を破壊し尽くし、日本人を皆殺しにする蛮行は、いまでは許されない。では、どうすればいいのか。日本人の精神を破壊し、骨抜きにするのがいい。つまり、精神的「カルタゴの平和」である。そのためにこそ、東京裁判というショーは行われたのだ。このことはきみが学んでいるアメリカの良識すら事実と認めている。アメリカは日本を占領するにあたり、日本国民に「戦争贖罪《しょくざい》意識」をたたき込むために「ウォー・ギルト・インフォメーション・プログラム」と呼ぶ綿密な手を打った。

残念なことに、アメリカの狙いはだいたい成功したといえるだろう。そしていま、そのことは由々《ゆゆ》しき問題を生んでいる。

だが、それに触れるのは、景子の次の質問に答えるなかで述べるのがふさわしいようだから、そちらに譲ることにしよう。

ところで、このように述べてくると、こんなことをいう輩《やから》が多い。「中條は第二次大戦における日本は、すべてが正しかったといっている」と。こういうのを短絡《たんらく》という。おじいちゃんはそんなことをいっているのではない。

前にも述べたように、日本にも過ちはあったのだ。戦争で大いに迷惑をかけた地域も多い。やってはいけないことをやったこともある。そういうことはあっただろうと思う。事実を事実としてはっきりさせ、そういうところはきちんと謝罪し、償わなければならない。それは当然のことだ。

ただ、戦争に負けたからすべてが悪いとするのは誤りである、といっているのだ。事実をきちんとさせ、いいはいい、悪いは悪いと認識しなければ、歴史に学ぶことはできない。これも前に述べたとおりだ。

たとえばこういうことがある。第二次大戦以前のアジアを見てみるがいい。

軒並み欧米諸国の植民地である。アジアは植民地だらけだったのだ。そして、第二次大戦以後、現在のアジアはどうか。欧米諸国の植民地は一国もない。アジアの国すべてが独立している。こうなったのは、日本がアメリカをはじめとする欧米諸国と戦ったことが大きな契機《けいき》になっている。これは多くが事実として認めるところだ。

日本のこの功績、評価を消し去って、第二次大戦を戦って負けた日本はすべて悪であるとするのは、歴史をゆがめることにほかならない。日本が欧米諸国の白人国家と戦ったことが契機になって、アジアの多くの人びとが植民地支配の苦しみから解放された。どんなにアジアの人びとが喜んだことか。景子もそちらの学校でアジアの友人たちから、解放の喜びを聞くことがあるに違いない。

この植民地解放の喜びを書いた本がある。マレーシアの元上院議員ラジャー・ダト・ノンチックという人の半生を記した本で、タイトルはずばり、『日本人よありがとう』（土生良樹著・日本教育新聞社刊）という。読みやすい好著で、これを読めば、植民地支配から解放された喜びと感動がどんなものだったか、ひしひしと感じることができるはずだ。

［質問12］
終戦によって日本はリフォームされ、新体制になりました。おじいちゃんはこのリフォームをどのように考えますか。

## 七年間、日本に主権はなかった

終戦によって、日本は確かにリフォームされた。だが、問題はそのリフォームをやったのはだれかということだ。

忘れてならないのは、日本は連合国側が発したポツダム宣言を受諾《じゅだく》し、無条件降伏したということだ。これに基づいて一九四五（昭和二十）年八月二十八日には占領軍第一陣としてアメリカ軍が上陸、三十日には連合国軍最高司令長官ダグラス・マッカーサーが厚木基地に到着、九月二日には東京湾に浮かぶアメリカ戦艦ミズーリ号の艦上で降伏文書に調印が行われ、日本は完全にアメリカをはじめとする連合国側の占領下に入った。

国会議事堂脇に造られたパレスハイツ（米軍家族のためのカマボコ住宅）

つまり、このときから日本は独立した主権国家ではなくなったのだ。景子よ、戦争に負けるとはそういうことなのだ。

この状態は一九五一（昭和二十六）年九月八日にサンフランシスコで対日講和条約が調印され、それが発効する一九五二（昭和二十七）年四月二十八日まで、約七年間続くことになる。

戦後の七年間、日本には主権はなかったということ、つまり主権がないということは、日本という国が存在しなかったということだ。このことは戦後の日本を考える上で、常に念頭に置いておかなくてはならない。

すると、日本のリフォームをやったのはだれかが自《おの》ずから明らかになる。日本は戦争に負けた。国土は焦土と化し、経済は壊滅《かいめつ》し、多くの人が命を落とし、国民は塗炭《とたん》の苦しみをなめた。何がいけなかったのかを日本人自《みずか》らが反省し、その上に立って、これからの日本はこうでなければならぬと日本人自らが考え、リフォームしたのではない。日本の占領政策を遂行するマッカーサーのGHQ、つまりアメリカの意思で日本のリフォームは行われたのだ。

アメリカの日本リフォームの基本は、東京裁判のくだりでも述べたとおり、精神的「カルタゴの平和」だ。日本を精神的に骨抜きにすることだ。そのためにも東京裁判は日本人の心を左右する上で、大きな働きをしたのだ。

敗戦で呆然となってしまった日本人は、自信を取り戻す余裕もなく、戦争の原因と責任はすべて日本にある、日本が悪かったのだ、日本は悪者だと繰り返される宣伝に、それと意識しないままにいつしか洗脳《せんのう》された。日本の過去はすべて悪かったのだと全否定する空気が醸成《じょうせい》されていった。日本人は自分たちの過去、歴史にすっかり自信を失ってしまった。だから、次々と打ち出されるリフォームを唯々《いい》諾々《だくだく》と受け入れることになった。それだけではない。自分たちの文化、伝統、歴史を肯定的にとらえられない雰囲気が蔓延《まんえん》していった。アメリカの狙う精神的「カルタゴの平和」は成功したのだ。

これは終戦直後、日本が主権を失っていた七年間に限ったことではない。いまでも尾を引いている。たとえば、日本の近現代史を否定的にとらえる考え方はいまでも根強い。そこに精神的「カルタゴの平和」を見るのはむずかしいことではない。日本の近現代史を否定的にとらえる考え方を「東京裁判史観」と呼ぶ言い方があるが、まさに適切である。

景子は日本にいたときの授業で、日本の近現代史を教わったことがないそうだね。これなどもまさに東京裁判史観の影響だといえるだろう。人間は悪いことにはなるべく触れたくないものだ。できることなら目をつぶっていたい。そういう気持ちが日本の近現代史に禁忌《きんき》めいた気分を持ち込み、教えずにすませる結果になっている。

そういえば、大学入試の日本史で第二次大戦前後のことが出題されることはほとんどない。学者に聞くと、まだ時間的経過が十分でなく、評価が定まっていないから、試験の問題としては不適切などという。何をいうか、とおじいちゃんは思ってしまう。事実は事実ではないのか。事実は評価などによって動くものではない。事実を事実として教え、その事実を試験に出題するのに、何の問題があろう。むしろ、時間的距離の近い事柄のほうが、事実は明確なのである。こんなのは逃げ口上にすぎない。

それに、歴史にはどんなに古い過去のことでも、絶対に評価が動かないなどというものがあるのだろうか。ものの見方・考え方で、歴史への評価は常に揺れ動くものだ。それが常識である。揺れ動く評価をぶつけ合い、照らし合わせるところに、歴史を将来に生かす学びがある。それが歴史の持つ意味というものではないのか。

おじいちゃんはこれまで、第二次大戦を中心とした日本の歴史について、いろいろ述べてきた。いま、おじいちゃんはこのように考えているし、これが正しいと思っている。だが、これはおじいちゃんの考えであって、違う考え方を持っている人もいるだろう。そういう人の考えに傾ける耳を、おじいちゃんは持っているつもりだ。傾けた上で、自分の考えと照らし合わせ、自分の考えはこれだというものを見定める営みを常に繰り返してきたつもりだ。歴史を認識するとはそういうことだと思う。景子もこのことを心得ていてほしい。

もう一つ、ぜひいっておきたいことがある。アメリカの精神的「カルタゴの平和」に乗っかるように東京裁判史観を振りまき、日本の過去を全否定する日本人がいるということだ。コミンテルン（国際共産主義運動）の使徒《しと》のような急進左翼を先頭に、それにつながっている連中だ。文化的面構《つらがま》えを装った学者や評論家など、いわゆる進歩的文化人と称される。精神的「カルタゴの平和」と合致《がっち》する彼らの言説は終戦後のジャーナリズムでもてはやされ、東京裁判史観の害毒をまき散らすことになった。彼らは日本人の精神を骨抜きにすることに力を貸したのだから、いやむしろ、彼らが日本人の精神破壊のお先棒《さきぼう》を担《かつ》いだのだから、売国奴《ばいこくど》といわれても仕方がないだろう。その罪は限りなく重い。

## 現行憲法の基本的性格

精神的「カルタゴの平和」が日本に対する内面的占領政策だったとすれば、ＧＨＱの占領政策遂行は外面的にも巧妙《こうみょう》だった。ＧＨＱは日本の上に直接君臨《くんりん》して統治するのではなく、間接的統治の手法をとった。日本人による選挙を行い、それに基づいて日本人の政府や議会をつくり、それが政治や行政を司《つかさど》るという形をとったのである。

だが、景子よ、先ほども述べたとおり、七年間日本には主権がなかったのだよ。日本人による内閣や議会は形ばかりで、GHQによって強力にコントロールされていたことはいうまでもない。GHQの意向が何よりも優先され、日本の内閣の施策や議会の決議も、GHQが認める範囲に限られていた。

この時期、もっとも多くの期間首相を務めたのは吉田茂《よしだしげる》である。限界は大きかったが、GHQと折り合いつついかに日本の意思を通し、一日も早く講和条約を結び日本を独立国に持っていくかに、吉田首相の腐心《ふしん》があり、苦衷《くちゅう》があったのである。

もっとも、日本人の多くはそんなことは感じていなかった。自分たちは選挙権を持ち、それを行使することによって議会がつくられ、内閣が構成されている。形の上では主権在民だ。外見的には主権があるかのごとくである。だから、日本が主権を持った独立国ではなく占領下にあるのだという意識は、ともすれば薄れがちだった。またそのことが逆に、精神的「カルタゴの平和」の浸食を容易にするものでもあったのだ。

それでも、マッカーサーのGHQが絶対的存在であることは薄々感じていた。だからそのころ、「マッカーサーの命令により」という言い方がはやったものだ。たとえば、仲間と連れ立って一杯やりに行こうとする。そんなときにこういうのだ。

「マッカーサーの命令により、これから飲みに行くぞ」

マッカーサーの命令は絶対だ。だから、都合が悪いとか何とかいって抜け出そうとしても許さないぞ、というわけだ。

マッカーサーのGHQの命令は絶対、ということは、日本には主権がなく、独立国ではなかったということだ。そういう状態でいろいろなリフォームが、文字どおり「マッカーサーの命令」により行われたのだ。

そのリフォームの核心となるものは、一九四七（昭和二十二）年五月三日に制定された日本国憲法だ。そして、この憲法はいまでも日本の憲法であり続けている。

これは実に奇妙なことではないか。憲法はいうまでもなく法治《ほうち》国家の基本である。国が国たるための土台中の土台だ。主権を持たず独立していない国が制定できるものではない。それを主権のない占領下で制定したというのは、ほかでもない、その憲法は形の上では国会決議を経てはいても、国民の総意を結集して日本が日本人の意思でつくったものではなく、アメリカの意思に基づいていることは自明である。景子も聞いたことがあると思うのだが、現行憲法を「アメリカの押しつけ憲法だ」という言い方をよくする。これはもっともなことなのだ。

その憲法を独立後もそのまま受け継いでいる。これほど奇妙なことはない。占領下ではともかく、独立し、主権を回復してからは、国民の総意に基づいて自分たちがつくった憲法を持つべきである。それが独立国というものである。

いまの憲法はその成り立ちからいって、日本に主権のない占領下に制定された「押しつけ憲法」であるという性格を免《まぬが》れることはできない。だから、独立後に憲法を検討し、国民の総意に基づいて新たに制定し直すという手続きが必要だったのだ。その手続きを行ってこそ、日本人はアメリカが狙った精神的

「カルタゴの平和」を克服して日本人としての真の精神を回復し、真に独立を果たすことができたはずである。

ところが、それはなされず、曖昧《あいまい》なままに五十有余年を過ぎて、今日にいたってしまった。そこにいまの日本の禍根《かこん》がある。

憲法についてこのような意見を述べるとすぐに、「あいつは保守反動だ」という非難が飛んでくる。憲法は聖域《せいいき》で手を触れてはならない、と考えるのが進歩的。憲法について考えて改めるべきは改める、と考えるのが反動。こんな妙な図式がいまの日本にはできあがっている。考えてみれば、これは逆ではないのか。

現行憲法ができて、すでに五十有余年が経《た》った。景子も感じているように、時代の変化は激しい。何ごとであれ五十年も経てば、くたびれてくる。実情からずれたり合わなくなったりするところが出てくるのは当然だ。まして、現行憲法は日本に主権がない状態でつくられたという成り立ちを免れることはできない。日本の意思と責任においてつくられたものではないということだ。

景子も現行憲法をしっかり読んでみることだ。実に素晴らしい条項もある。

その条項に盛られた精神は、これからの日本のために大いに育てていかなければならないというものもある。だが一方、現実に合わない条項も見受けられる。急激に進展した国際化のなかでは、こういう条項では日本の国益が損なわれる恐れがある、というものもある。そういうものを一つひとつ検討して、残すべきは残す、改めるべきは改める、そういう作業を行って、改めて新憲法を制定することが絶対に必要だと、私は思っている。

それは単に憲法を改めることに止《とど》まらない。憲法を考えることは、日本を考えることである。日本の歴史、文化、伝統を改めて見直し、それを踏まえてこれからの日本はどうあるべきか、未来に向かっていかに進んでいくかを考えることである。それによって、日本人は精神的「カルタゴの平和」を克服し、自国に誇りを持ち、自分に誇りを感じて未来に向かうことになるだろう。現行憲法を土台にして行われた戦後のリフォームにも検討が加えられることになる。

このように現行憲法を検討することは、未来に向かう基点として不可欠なものだ。私はそのように考えている。

おじいちゃんのこういう考え方は、日本のこれからがどうあるべきかを志向することである。こういうのを、普通は進歩的というのではないか。ところが、日本では憲法を検討するというと、直ちに反動ということになってしまう。そこに精神的「カルタゴの平和」によって骨抜きになっている日本人の精神状態を見ないわけにはいかない。

憲法は聖域、手をつけてはならないという考え方こそ、主権のなかった時代に日本を閉じ込めてしまおうとすることである。日本人は骨抜きになったままでいればいいという考え方である。こういう考え方をがりがりの反動というのだ。

国家の最高法規である憲法をみだりに変えてはならない、ということはおじいちゃんも認識している。よく発展途上国などに見られるように、そのときの為政者《いせいしゃ》の都合《つごう》で憲法をつくり直すなどは絶対にあってはならないことだ、という認識では人後に落ちないつもりだ。だが、法は生活者の利益を守るために立法されるものなのだ。憲法が存在することによって国民が不利益をこうむるようなことがあれば、これを変える勇気こそ必要である。おじいちゃんはそのように考えている。

［質問13］
戦争が終わって五十年以上が過ぎました。この間の変化は著しいものがあったと思います。おじいちゃんはこの期間の社会のありさまをどのように考えますか。

## 日本経済に利した東西対立の冷戦

何度も繰り返すが、精神的「カルタゴの平和」によって、日本は過去に悪いことばかりしてきたのだという考えが蔓延《まんえん》し、日本人の精神は骨抜きになって、日本人であることに一片の誇りも持てなくなってしまった。端的にいえば、これが戦後の日本人の精神状況である。

しかし、人間というのはまったく誇りなしには生きられない。一つの誇りを失えば、何かそれに代わる誇りの拠《よ》り所《どころ》がほしくなる。そして、精神文明などはなにほどのものでもない、それよりも物質文明が繁栄《はんえい》と幸福をもたらすものなのだと考えるようになった。日本に駐留《ちゅうりゅう》するアメリカ軍が直接持ち込んでくる、あるいは映画などを通して情報として伝わってくるアメリカの物質文明、車や家電製品の圧倒的な豊かさが、それを証明するものだった。

物質的に豊かになるには、戦争でペシャンコになった経済を復興させ、高度成長への道をたどらなければならない。目標はアメリカである。アメリカに追いつき、追い越せ。日本人はそこに努力を傾注《けいちゅう》するようになる。つまり、物質によって誇りを回復しようとしたのだ。

そこで発揮されたのが、農耕民族として培《つちか》った勤勉性という日本人の特質だ。日本人は乏しい食料や生活必需品に耐えて額《ひたい》に汗を流し、苦しみの底から経済復興の基盤を築き、高度成長への軌道《きどう》に乗せることに成功したのだ。これは日本人の持つ美質として賞賛されていい。

しかしね、日本人の努力はそれはそれとして評価するが、おじいちゃんはこれのみを誇大視《こだいし》して称揚《しょうよう》するつもりはない。というよりも、冷静に見て、われわれ日本人が流した汗以上に、日本に利する状況があったということを指摘しなければならない。それは東西対立の冷戦構造という世界情勢だ。これが日本の経済成長を助けた何よりのものだった、と私は思っている。

第二次大戦後の世界は、アメリカを核とする西側の自由主義陣営と旧ソ連を核とする東側の共産主義陣営に分かれ、対立するようになった。アメリカとソ連の二大超大国を頂点としたこの東西対立は、第二次大戦後の世界のすべての動向の基調となり、ベルリンの壁崩壊による旧ソ連圏の解体まで続くことになる。そのなかで日本は西側陣営の一翼に位置づけられた。このことが経済的に日本に多くの利点をもたらしたのだ。

その好例が朝鮮戦争である。

第二次大戦後、世界には分断《ぶんだん》国家が生まれた。ヨーロッパにおける東西ドイツやアジアにおける南北朝鮮などである。これらの分断国家は東西対立の接点として、冷戦の火花がもっとも激しく散る場所になった。

東西ドイツではその火花が導火線に引火することはなかったが、南北朝鮮では火を噴いた。一九五〇（昭和二十五）年六月二十五日、北朝鮮軍が突如韓国に侵攻し、戦端が開かれたのだ。ソ連、中国の後押しを受けた北朝鮮軍はたちまち韓国を席巻《せっけん》し、不意を衝《つ》かれた韓国軍は朝鮮半島の南端に押し込められる状況になった。

この段階になって国連決議を経たのち、マッカーサー率いるアメリカ軍は国連軍の名のもとに仁川《インチョン》上陸を敢行《かんこう》、反攻に転じた。

朝鮮戦争はその後一進一退を続けながら、一九五三（昭和二十八）年七月二十七日に休戦協定が調印されるまで、三年間にわたって激しく戦われた。

この戦争で日本は好むと好まざるとにかかわらず、後方の物資補給基地としての役割を果たすことになった。戦争に必要な物資が、多く日本から調達されたのだ。

これは第二次大戦でほとんど壊滅状態になっていた日本産業のカンフル剤になった。わずかに残っていた生産設備はフル稼働状態になり、また、アメリカの援助によって設備投資が盛んに行われた。

日本の景気は上向き、盛り上がった。この活況を特需《とくじゅ》景気と呼ぶ。

この特需景気によって日本経済は終戦直後の困難から脱却《だっきゃく》して復興の軌道に乗り、やがては高度成長への基盤となったことは間違いない。

東西対立という世界の不幸はまさに日本の経済に利したのだ。

## マッカーサーの証言

日本の戦後社会の様子という質問からはいささか逸《そ》れるが、朝鮮戦争に触れたついでに、述べたいことがある。

前に戦前の日本について述べたところで、北からのソ連の脅威について触れた。

だが、それは太平洋を隔てたアメリカには実感としてわからないことだったのだ。だが、朝鮮戦争が起こって、アメリカは否応《いやおう》なしに日本の地政学上の位置を実感し、北からの脅威がどんなものであるかを痛感することになった。なかでもそれが身にしみたのは、連合国軍最高司令官として直接共産主義勢力と対決したマッカーサーだった。

朝鮮戦争が勃発《ぼっぱつ》すると、マッカーサーは直ちに朝鮮半島に飛び、弾丸が飛び交う最前線に立って視察している。この視察に基づいて仁川上陸作戦を練り上げたといわれている。普段はＧＨＱ本部が置かれた東京・日比谷のいまの第一生命ビルからほとんど動かず、日本各地の状況を視察することもなかったマッカーサーが、戦争となるとすぐに戦場に駆けつける。こういうところを見ると、マッカーサーという人は根っからの軍人だったのだろう。それだけに北からの脅威がどんなものかを痛いように実感することにもなったのだ。

マッカーサーは一九五一（昭和二十六）年の年頭声明で日本の自衛権を強調し、講和条約の締結を早め、独立した日本が再武装する必要性を説いている。

占領軍の最高司令官として日本にやってきたマッカーサーが、最初に考えていろいろな策を講じたのは、日本を精神的に骨抜きにし、軍事力をすべて解体して、丸裸の無力な国にすることだったはずである。だからこそ、「陸海空軍その他の戦力は、これを保持しない」という条項を盛り込んだ憲法を占領下の日本に制定させたのである。

それが数年を経ずしてこの変わりよう。いや、マッカーサーは変わったのではない。北からの共産勢力の攻勢に直面して、はじめて日本のことがわかったのだ。

北朝鮮の向こうは中国で、鴨緑江《おうりょくこう》が国境になっている。その中国は北朝鮮軍の兵站《へいたん》基地になっていた。北朝鮮軍は鴨緑江の彼方《かなた》から武器を補給し、中国も人民義勇軍の名で参戦してくる。また、ソ連が供給するミグ戦闘機も鴨緑江の向こうから飛来し、攻撃してくる。だが、アメリカ軍は鴨緑江の向こうは攻撃できない。国境である鴨緑江の向こうの中国領が聖域になって手をつけられないのでは、決定的に戦争に勝つことができない。マッカーサーはそう考えて、鴨緑江の彼方に原爆攻撃を加える許可をアメリカ本国に求めた。だが、ふたたびみたび世界戦争に拡大することを恐れた当時のアメリカ大統領トルーマンはこの要求を拒否し、マッカーサーを解任した。

帰国したマッカーサーは、アメリカの上院議会で日本についてこう証言した。日本が中国大陸に進出したのは侵略戦争ではなかった、自衛のための戦争だった、と。これは日本の占領統治に当たったマッカーサーが、朝鮮戦争を通して北からの脅威がどのようなものかを骨身にしみて実感したから出た言葉といえる。

これはどういうことか。日本を侵略戦争を行った悪者と決めつけ、「平和に対する罪」で断罪した東京裁判は誤りだったと、日本占領の最高責任を担った

当事者が認めたということである。（巻末資料参照）
これは忘れてはならないことである。

## 第二次大戦の後遺症、北方四島

もう一つ、これも質問の答えとはずれるが、述べておく。

これまで世界は、何度も戦争を繰り返してきた。そして、勝者は敗者の領土を切り取って自国の領土とした。第一次大戦まではそれは勝者の当然の報酬として行われてきた。

しかし、領土の切り取りは平和をもたらすことにはならず、かえって戦争後の火種《ひだね》となり、平和を崩す原因になることを世界は学んだ。だから、第二次大戦では勝者による領土の切り取りは行わずに収拾《しゅうしゅう》が図られようとした。だから、日本の占領は七年間で解かれ、独立を回復した。その後も沖縄や小笠原諸島は占領状態にあったが、これも順次日本に返還された。それまで日本が領有していた樺太《からふと》（サハリン）の南半分、朝鮮半島、台湾は日本の手を離れたが、それは日本が領有する以前の状態に復元されたのである。

第二次大戦に関《かか》わった連合国は、アメリカをはじめ、すべての国がこのように振る舞った。だが、唯一例外があった。旧ソ連である。

第二次大戦の勝者となったソ連は、領土的野心をあらわにして振る舞ったのだ。バルト三国をはじめ中央アジアの国々をソ連に囲い込み、それらの国々の独立を抹殺《まっさつ》して領土を広げた。それればかりではない。ソ連は東欧諸国をも共産圏に囲い込み、事実上の支配者として君臨した。このソ連の領土的野心が東西対立を激化させ、冷戦構造を固定することになった。そしてドイツと朝鮮半島で分断国家という悲劇を生むことにもなったのである。

しかし、それもベルリンの壁崩壊以後、次々と旧に復して解決していった。ソ連は解体してロシアになり、バルト三国をはじめ多くの国々がソ連の軛《くびき》を離れて独立し、東西ドイツは統一がなった。

だが、第二次大戦の結果戦勝国によって切り取られたままの領土が、ただ一つ、そのままになっているところがある。それは北方四島である。日本本来の領土である北方四島は、ソ連に切り取られたままロシアに受け継がれ、いまだに返還されていないし、いつ返還されるかの見通しも立っていない。人間は愚かにも戦争を繰り返して、戦争に勝った者が負けた者から領土を切り取るのはかえって平和を損なうことになると悟って、それを改めた。だが、その誤りをまたまた犯し、誤りのままに放置されている世界唯一の例が北方四島なのである。

この誤りの責任はソ連を引き継いだロシアにあることはもちろんだが、アメリカ、そしてイギリスにもあることを知らなければならない。

一九四五（昭和二十）年二月四日から十一日にかけて、当時のアメリカ大統領ルーズベルトとイギリス首相チャーチルはヤルタ島で会談し、第二次大戦の終結について話し合った。そのとき、その席にイデオロギー的にはまったく反対の立場にあるソ連首相のスターリンを呼んで、対日参戦に引き込んだのだ。これによってソ連はソ満国境を越えて対日戦に参戦し、その結果、多くの日本兵を捕虜《ほりょ》としてシベリアに抑留《よくりゅう》し、劣悪《れつあく》な環境のなかでの過酷な労働によって膨大《ぼうだい》な数の人命を奪うという暴虐《ぼうぎゃく》に駆《か》り立てたばかりか、北方四島を奪い取り、その状態がいまだそのままになっているという結果を招いたのだ。

アメリカとイギリスがソ連を対日戦に引き込んだのは、政治的にはまったく目茶苦茶で無定見《むていけん》だったといわなければならない。そして、その状態がいままで放置されていることに、アメリカ、イギリスは責任を負わなければならない。その自覚がアメリカにはあるのだろうか。

さらにいえば、ドイツ統一がなったいま、朝鮮半島は第二次大戦が残した唯一の分断国家になってしまった。北朝鮮はテロを繰り返し、日本から何人もの市民を拉致《らち》し、最近は小型潜水艦によって韓国に武装謀略員《ぼうりゃくいん》を送り込もうとしたり、長距離ミサイルを日本を飛び越えて打ち込んできたりしている。

かつて、北朝鮮の後ろ楯《だて》はソ連だった。だが、そのソ連は解体してしまった。ソ連のコントロールがなくなった分だけ、かえって北朝鮮は危険な存在になった。朝鮮半島はいま、いつ発火するかわからない、世界でももっともきな臭い地域になっている。

このように、日本の身近なところに、いまでも第二次大戦のはっきりした後遺症が二つも残っているのだ。このことを日本人自身が認識し、自覚すべきである。

## 大きな空洞

アメリカに追いつくことを目標として、戦後の日本は経済的努力にすべてを傾けてきた。日本人のその努力はもちろん認められなければならない。同時に厳しさを増す東西対立の冷戦構造という世界情勢が追い風になったことも忘れてはならない。アメリカは西側陣営の一員である日本の経済復興に力を貸す必要があったのだ。一時期は「アメリカがクシャミをすれば日本が風邪を引く」といわれるほど、日米経済は密接な関係に結ばれるようになった。

おかげで、日本は目ざましい高度成長を遂げた。アメリカに学んだ自動車や家電製品、工作機械などの技術力は本家を凌駕《りょうが》するまでになり、ついには世界の最先進国に位置して大きな影響力を持つようになった。

終戦でペシャンコになった日本は、かくて念願の物質的豊かさを手にすることができたのだ。

しかし、物質的に豊かになって、日本は抱えている本質的な弱点を露呈するようになった、と私は思っている。物質的に豊かになるには、代償をともなわずにはいかなかったのだ。その代償とは心である。日本の心を失ったままになっている。そしてそこにこそ、現在ただいまの根本的な問題がある、と考えるのである。

どういうことか。

終戦直後、アメリカが目指した精神的「カルタゴの平和」によって、日本の精神文化は崩壊した。日本人は自分たちの歴史を否定することによって、文化や伝統までも忘却《ぼうきゃく》の彼方に葬《ほうむ》り去った。日本人は日本人であることに誇りが持てなくなった。日本人の心はがらんどうになった。

その空洞はそのままにして、日本人は経済の高度成長に邁進《まいしん》し、それを成し遂げて物質的な豊かさだけを享受《きょうじゅ》することになった。物質的豊かさを梃子《てこ》にして、日本人は日本人であることの誇りを回復しようとした。

しかし、物質は誇りを保証するものにはならない。心を欠いたまま、物質を拠《よ》り所にして誇りを持とうとすれば、必ず歪《ゆが》みを生じる。驕《おご》り高ぶりになる。その表れがバブル経済だったと思う。

実際、バブル最盛期の日本人の驕り高ぶりは目に余るものがあった。あり余る資金を懐《ふところ》に海外の不動産を買いあさった連中の姿に、その典型を見る。あれは物質的には豊かかもしれないが、精神的には限りなく荒廃《こうはい》した姿ではなかったろうか。

そのバブルは崩壊した。驕り高ぶってバブルに踊り狂った結果は、膨大《ぼうだい》な不良債権となって残され、金融機関の経営を圧迫し、平成不況を招き、ビッグバンによって経済構造の根本的改革を図らなければどうにもならない深刻な事態に直面することになった。それがいまの状態だ。

いま日本人は、意識的か無意識的かはともかく、あることに気づきはじめているのではないだろうか。おじいちゃんはそんな気がする。〝あること〟とは物の空《むな》しさだ。経済力を盛んにして物質的に豊かになることは、人間としての誇りには少しも結びつかなかった。そういうことに気づきはじめているように思う。

景子も耳にしたことがあると思うが、「二十一世紀は心の時代だ」といった言い方が最近あちこちで聞かれる。「二十一世紀は心の時代」というのは、おじいちゃんもそう思う。

しかし、マスコミなどでしきりにいわれる「心の時代」の「心」とは、「心」一般を指しているようだ。おじいちゃんのいう「心」はそれとは違う。一般的な「心」ではない。もっと限定された、明確な概念を持った「心」だ。

それは、日本人としての心、日本の心だ。長い歴史のなかで積み重ね、伝統とともに培《つちか》い、文化を育てた日本人ならではの心。二十一世紀はその心がしっかりと根づいている時代にしなければならない。おじいちゃんはそういう意味で「二十一世紀は心の時代」というのである。

物の豊かさがいかに空しいものかを感じ、ふと自分の内側をのぞいてみれば、そこには何もない空洞があることに気づく。そこには自分の拠り所になるような支柱は何もない。規範がない。空漠《くうばく》として漂うような感じに流されるばかりだ。

戦後五十有余年を経て、いま日本人はそういう状態にあると思っている。

そういう日本人のありさまは、若い世代が引き起こす現象に典型的に表れているのではないだろうか。いじめや校内暴力が頻発《ひんぱつ》する教育現場の荒廃、家庭内暴力に象徴《しょうちょう》される家族の崩壊、殺人や傷害など人命に対して何の感性も持ち合わせていないような少年犯罪の冷酷。挙げればきりがない。これらの現象や事件の根底には、日本の心を見失って何の規範も持てなくなっている精神的状況がうかがえる。

こうなったのも、考えてみれば不思議はないのかもしれない。いまの若い世代の親、あるいはさらにその親も、精神的「カルタゴの平和」にしたたかにやられて、日本人であることに誇りが持てなくなった世代だ。自分のなかにある日本の心をむしろ恥と考え、そこから顔をそむけてきた世代だ。日本の心はそこで断絶してしまっている。日本の心が培った規範は消滅しかかっている。その結果が、昨今の荒廃した事件や現象となって端的《たんてき》に噴出《ふんしゅつ》しているのだ。

二十一世紀を心の時代にしなければならないと思う。日本の心を蘇《よみがえ》らせ、一人ひとりがその心を帯《たい》して、未来に向かっていかなければならないと思う。おじいちゃんは切にそう思う。日本人一人ひとりが日本の心を帯したとき、その心の豊かさによって、物の豊かさも真に人間の幸せに結びついていくものとなるだろう。

## ノンチックさんの詩

日本の心を失ってしまった日本人。それは外国人の目にも映っているようだ。アジアの国々を植民地の苦しみから解放する契機となった日本への感謝を綴った『日本人よありがとう』という本のことは先に述べた。この本の序文に、マレーシアの元上院議員ラジャー・ダト・ノンチック氏が一編の詩を寄せている。それは、日本の心を失ってしまった日本人に対して、「どうして日本人はこんなになってしまったのだ」と嘆いている詩だが、これを読んで胸に響くものがない日本人はいないはずだ。次にその詩を引用しておこう。

かつて　日本人は
清らかで美しかった
かつて　日本人は
親切でこころ豊かだった
アジアの国の誰にでも

自分のことのように
一生懸命つくしてくれた

何千万人もの　人のなかには
少しは　変な人もいたし
おこりんぼや　わがままな人もいた
自分の考えを　おしつけて
いばってばかりいる人だって
いなかったわけじゃない

でも　その頃の日本人は
そんな少しの　いやなことや
不愉快さを越えて
おおらかで　まじめで
希望に満ちて明るかった

戦後の日本人は
自分たち日本人のことを
悪者だと思い込まされた
学校でも　ジャーナリズムも
そうだとしか教えなかったから
まじめに
自分たちの父祖や先輩は
悪いことばかりした残酷無情な
ひどい人たちだったと　思っているようだ

だから　アジアの国に行ったら
ひたすら　ペコペコあやまって
私たちはそんなことはいたしませんと
言えばよいと思っている

そのくせ　経済力がついてきて
技術が向上してくると
自分の国や自分までが
えらいと思うようになってきて
うわべや　口先では
済まなかった悪かったと言いながら
ひとりよがりの
自分本位の　えらそうな態度をする
そんな
今の日本人が　心配だ

本当に　どうなっちまったんだろう
日本人は　そんなはずじゃなかったのに
本当の日本人を知っているわたしたちは

今は　いつも　歯がゆくて
くやしい思いがする

自分のことや
自分の会社の利益ばかり考えて
こせこせと
身勝手な行動ばかりしている
ヒョロヒョロの日本人は
これが本当の日本人なのだろうか

自分たちだけで　集まっては
自分たちだけの　楽しみや
ぜいたくに　ふけりながら
自分がお世話になって住んでいる
自分の会社が仕事をしている

その国と　国民のことを
さげすんだ眼でみたり
バカにしたりする

こんな　ひとたちと
本当に仲よくしてゆけるだろうか
どうして
どうして日本人は
こんなになってしまったんだ

日本の心を失ってしまった日本人の姿が、一人の心あるマレーシア人にはこのように映っているのだということを思わないわけにはいかない。

では、日本の心とは何か。それを蘇らせるにはどうすればいいのか。そういう話になる。

それは景子の次の質問に答えるなかで、述べることにしよう。

［質問14］
戦後の日本は、あらゆる面でアメリカの影響を受けたと思います。日本の現在はアメリカ抜きには考えられないといってもいいのではないでしょうか。おじいちゃんはこのことをどう思いますか。

## 外来文化を消化する日本

景子の質問にあるように、確かに戦後の日本が受けたアメリカの影響は圧倒的だった。政治の面でも経済の面でも文化の面でも、さらには社会風俗的な面でも、アメリカの影響を容易に見ることができる。

しかし、日本が外国から影響を受けたのは、これが最初ではないのだ。というよりも、日本は外国からの影響を常に受け続けてきた。絶えざる外国からの影響の積み重ねが日本の歴史である、といってもさほど間違ってはいないほどだ。

景子は縄文時代や弥生時代には食傷《しょくしょう》気味のようだが、最近の著しい発掘調査の進展で、この時代からすでに海外との交流が盛んだったことが明らかになってきている。有史時代に入るとなおさらだ。仏教しかり、儒教しかり。当時、世界有数の先進地帯だった中国大陸から、朝鮮半島経由で、あるいは遼東《りょうとう》半島あたりからダイレクトに、物質文化、精神文化が流入し、日本はこれを受け入れている。

それればかりではない。か細いルートではあったが、古くから西欧文明も流入し、その影響も受けている。

多くの国家なり民族なりの文化的態度を見ると、異質の文化が流入すると、普通はまず拒否反応を示すものだ。だが、日本はどうも違う。むしろ積極的に受け入れている。

日本の戦国時代のころ、ヨーロッパから数多くのキリスト教宣教師が日本にやってきて布教に努めた。これらの宣教師が本国に書き送った報告書がいくつも残っている。それを読むと、彼らが半ば驚嘆の気持ちを込めて日本人の特質として書き記しているのは、旺盛《おうせい》な好奇心である。キリスト教の説く神は、当時の日本人にとっては見たことも聞いたこともない異質のものだった。だが、異質だからといって拒否するのではなく、何とか理解しようとして、宣教師が立ち往生《おうじょう》するほど、しきりに質問を浴びせてくる。しかもその知的レベルは一般庶民でも驚くほど高い。そういうことを多くの宣教師が書き記している。

その態度は、仏教が入ってきたときも、儒教が入ってきたときも、同じだったのだろう。

景子も日本の歴史を毛嫌《けぎら》いせず、もう一度学び直してみるといい。日本が各時代にわたって、どんなに多くの影響を外国から受けてきたか、よくわかるだろう。

ところが、そこで妙なことが起こるのも日本の特徴だ。キリスト教文化は一時は燎原《りょうげん》の火のような勢いで広がりを見せたが、たちまちしぼんで根づくほどにはならなかった。だが、仏教文化や儒教文化は深く日本人のなかに浸透し、ものの見方・考え方から生活習慣にまで入り込んだ。では、日本はこれらの文化の発信元である中国と似たものになったのか。そんなことはない。

仏教にしろ儒教にしろ、日本に浸透する過程で変質し、磨きがかけられ、本来の姿とは似て非なるものになって、人びとの心の中に根づいている。しかも、本来のものからは変質していることを、日本人はさほど意識していない。ごく自然にそれをなし、さらに独特の磨きをかけて「日本的」としか表現しようのない独自のものに発展させるのだ。

外国からの文化には寛容《かんよう》だが、それをそのまま受容《じゅよう》することはせず、日本独自のものに消化してしまう。これは日本の大きな特徴といっていいだろう。宗教や思想のように目に見えないものではわかりにくいので、少しわかりやすい例を出すことにしよう。

一つの国家なり民族なりの文化の根幹となるものは言語である。文明社会では話し言葉と同時に書き言葉である文字が言語の重要な要素となる。

日本は独自の文字を持たなかった。古代には神代文字《じんだいもじ》という日本独自の文字があったという説を唱えるむきもあるようだが、私は眉唾《まゆつば》だと思っている。とにかく独自の文字を持たなかったから、文字は中国のものを使った。漢字である。だから、『古事記』とか『万葉集』とかの日本の古典は全部漢字で書かれている。だが、いろいろと工夫はしているが、中国語の文字である漢字だけで日本語を書き写すには何かと不都合が多い。そこで表意《ひょうい》文字である漢字から工夫して表音《ひょうおん》文字の仮名《かな》をつくり出し、表意文字と表音文字を組み合わせて日本語を書き表すことにした。

いま私たちは何気なくごく自然に表意文字の漢字と表音文字の仮名というまったく性格の異なる文字を組み合わせて使っているが、これは大変素晴らしい工夫なのだ。この工夫によって日本語は高度に発達し、緻密《ちみつ》な表現力を持つようになった。漢字仮名交じりの日本語の書き言葉は完全に消化されて、この文字のそもそもが中国のものだったなどとは信じられないほどだ。

このように、日本は外来の文化・文明を受け入れ、それを消化して完全に自分のものにしてしまう。日本の日本たる所以《ゆえん》はここにあるといってもいいかもしれない。

## 文明開化のなかで見直した日本精神

日本のこの特質はどこからくるのか。その根源は日本人の心のあり方、いってみれば日本精神にある、と私は思う。

日本は豊かな自然に恵まれている。この自然を大切にし、自然の法則に従っていれば、幸せに生きていくことができる。そういう風土が長い年月の間に日本人のなかに一つの心を培った。自然を敬《うやま》い、恐れ、あがめる気持ちだ。それはあらゆるものにありがたさを感じ、身を慎んで謙虚《けんきょ》に振る舞い、礼儀を正し、調和していこうとする心だ。そして、そういう心にさせるすべてのものに神を感じた。

だから、日本人が抱く神の概念は欧米とはまったく異なる。欧米の神は全知全能の絶対者である。だが、日本人にとっての神は、感謝の念を抱かせ、謙虚に振る舞わせ、礼儀と和を大切にする行動をとらせる、そういう心にさせるすべてのものだ。身の回りにある自然をはじめとするすべてのものが、日本人にとっては神なのだ。

キリスト教が普及する以前のヨーロッパ、古代のギリシアやローマは多神教だった。ギリシア神話の神は、数えると三十万もいるという。だが、日本はそんなものではない。身の回りのすべてに神を感じる日本人にとって、神は八百《やお》万《よろず》なのだ。

このような心を根源にして、日本人は規範をつくり、秩序を構築し、道徳を養ってきた。これらをトータルしたものが、日本精神と呼ぶものなのだ。

日本人の基盤にこの日本精神があるから、外来の文化文明を寛容《かんよう》に受け入れ、それを吟味して消化し、日本的なものにして取り込むことができたのだ。日本精神が基盤にあり、しっかりとした支柱になっているから、どのような圧倒的な外来文化にもたじろぐことはなく、日本は日本であり続けることができた。

もっとも、それがいささか揺《ゆ》らいだ時期がないではない。明治の初期がそうだった。

維新を成功させて日本は近代国家に大きく歩み出した。幕藩《ばくはん》体制が崩れて武士階級は途方に暮れ、封建体制から解放されて庶民は喜びに沸《わ》く。その交錯《こうさく》のなかで文明開化の波はたちまち全国に広がった。

文明開化とは何か。それは端的にいえば、日本の伝統文化から抜け出し、欧米の文化に脱皮《だっぴ》することだった。それを表現したのが「脱亜入欧《だつあにゅうおう》」である。日本の伝統文化をかなぐり捨てることでアジアから抜け出し、欧米の文化・文明を身につけて欧米社会の仲間入りをするというわけである。

欧米崇拝《すうはい》は高まり、風俗、習慣、衣食住すべてが欧米風でなければ夜も日も明けないありさまだった。「道徳倫理など古めかしきことは、今日の文明人の重んずるところにあらず」と高言《こうげん》する洋行帰りが幅をきかせ、ハイカラともてはやされた。明治初期の一時期、確かにそういうことがあったのだ。これは日本精神の危機だった。

だが、こういう風潮を強く懸念した人がいた。明治天皇である。

明治天皇は全国を巡幸《じゅんこう》され、人びとの暮らしのなかに深く入り、小学校の授業まで参観されるなど、つぶさに民情《みんじょう》を視察された。そして、西欧一辺倒の風《ふう》潮《ちょう》に強い憂慮《ゆうりょ》を抱《いだ》かれたのである。ことに明治天皇が憂慮を深くされたのは、日本古来の美風に根ざした精神教育が疎《うと》んじられ、欧米の教育の模倣《もほう》に陥っている教育現場の状態だった。明治天皇は侍講《じこう》の元田永孚《もとだながざね》に幼少年の道徳教育が急務であることを熱心に説かれた。

明治天皇のこの意を受けて編纂《へんさん》されたのが、「幼学綱要《ようがくこうよう》」である。一八八二(明治十五)年のことである。この「幼学綱要」は先に掲げた「教育勅語」の源流になったといわれる。

　このようなことが新旧思想の大混乱のなかで欧米一辺倒にかぶれ、荒廃しかけた世相にブレーキをかけることになった。文明開化の急流のなかで日本人はふと立ち止まり、自分のなかにある日本精神に気づき、それがいかに大切なものであるかを感じ取ったのだ。

## 伝統的精神の継続性

　以上のことを踏まえて、現在のことに移ろう。

　戦後のアメリカの影響は圧倒的だった。それは明治初期の欧米かぶれの「脱亜入欧」に匹敵する、いや、それ以上といっていいだろう。

　まず、アメリカは圧倒的に豊かな物質文明として日本人の前に立ち現れた。当時、娯楽の王様は映画だったが、アメリカ映画はことに強烈なショックを日本人に与えた。広くきれいな家。そのなかには物が豊かに溢《あふ》れている。合理的にレイアウトされたキッチンには電気冷蔵庫がありオーブンがあり、洗濯場に電気洗濯機がでんと据えられている。そして、ガレージには派手な車。それに乗って外出し、パーティではリズミカルな音楽に乗って楽しく踊る。スクリーンに映し出されるアメリカの生活と食料さえ事欠く自分の乏《とぼ》しい生活を比べ、日本人は打ちのめされた。

豊かな物に溢れたアメリカン・ライフ。それは経済成長に日本人を駆り立てる原動力になったが、精神的には日本人を腑抜《ふぬ》けにしたといえるだろう。精神的「カルタゴの平和」にのっとってGHQが進める3S戦略がそれに拍車をかけた。3Sとはスクリーン、セックス、スポーツのことだ。

そして、この流れと風潮は今日まで変わらずに続いている。

貧しいよりは豊かなほうがいい。苦しいよりは楽しいほうがいい。それは決まりきったことだ。だが、その根底に精神的な支柱がなかったら、豊かさや楽しみは荒廃に直結し、崩壊していくだけだ。そして、いまの日本はそうなりつつあると、おじいちゃんは強く感じ、憂《うれ》いている。

先ほど述べたように、明治維新後の文明開化期に、日本精神を見失いかける危機があった。だが、「幼学綱要」のようにその流れを押し止《とど》め、立ち止まらせて各人の内部にあるものに気づかせ、伝統的な精神に立ち戻る力が働いた。しかし、いまはどうだろう。そのような力は一切働かず、五十有余年を一気に今日まできてしまった感が強い。

一時期、世代の断絶《だんぜつ》ということがしきりにいわれたものだ。世の中が急激に変わり、価値観が変化し、旧世代とはまったく異なったものの見方・考え方をする新世代が出てくる。その新旧の差を断絶といい、旧世代とは異なる新世代を新人類とか宇宙人とか呼んだりした。

しかし、このような世代間の格差《かくさ》は何もいまにはじまったことではない。昔からあるものだ。どこかの国の古代遺跡には「いまの若い者はなっていない」と旧世代が新世代のあり方を嘆く落書きがあるそうではないか。おじいちゃんも若いころは、「いまの若い者は……」とよくやられたものだ。

世の中はどんどん変わってきている。人びとの価値観が変わり、感覚が変わるのは当然のことなのだ。しかし、そのなかで人間には一貫して変わらないものがある。それはその人間のルーツである国家なり民族なりの精神だ。その精神があるからこそ、人間は人間たり得ているのだ。

景子はいま、国際色豊かな学校で学んでいるから、おじいちゃんのいうことはおじいちゃん以上によくわかるに違いない。

経済のボーダーレス化が進んでいる。社会的文化的な国際化が進展している。この現象に、お先棒かつぎの学者や評論家のなかには、将来地球は一つになり、人類はみんな同じ精神的基盤に立つようになる、国家や民族は意味を失うといった議論をする輩《やから》がいる。だが、そんなことは絶対にあり得ない。ある人間の拠《よ》って立つ国家や民族の精神性を失ったら、その人間は根無し草になり、荒廃していくだけだ。それぞれがそれぞれの基盤である国家や民族の精神性を強く保持することで、人間はお互いの違いを認め合い、協調し合っていけるのだ。人間とはそういうものであり、それが真のボーダーレス化、国際化というものなのだ。異なった文化を背景にしているさまざまな国のクラスメートと交わっている景子には、よくわかる話ではないかと思う。

## 根無し草の恐れ

最近は世代の断絶という言葉さえ、あまり聞かれなくなった。新旧世代の格差があまりにも広がって、もはや無縁のものに近くなり、断絶について云々《うんぬん》することを諦めてしまったのだろうか。おじいちゃんはこれを大変危険な兆候《ちょうこう》だと思っている。日本精神が次の世代に受け継がれず、消滅しかかっているのではないかと危惧《きぐ》するのだ。

戦後五十有余年、日本は圧倒的にアメリカの影響を受けてきた。そのことは決して悪いことではない。経済的に成長して豊かになろうというエネルギーは、確かにアメリカに影響された賜物《たまもの》なのだから。

しかし、受け入れたアメリカの影響を日本はただただ無批判に取り込むだけで、消化する営みを怠《おこた》ってきたのではなかったか。表面的・風俗的にアメリカを真似るだけでなく、精神的にも無自覚に染まってしまったのではないか。最近の若い世代を見たり話したりして、心の拠り所を持たない根無し草になっているのを感じ、そう思わないわけにはいかない。

根無し草とは、規範も礼節も道徳も持たない、人間を人間として成長させる根っこを持たない人間のことだ。物質的にも精神的にもアメリカの影響に染まり、そこから何か新しい規範や礼節や道徳を構築しているかというと、そんなものはまるで見当たらないのだ。

規範や礼節や道徳は人間を支える誇りになる。それを持たない根無し草は、荒廃するしかない。事実、最近の事件や現象にはそれが端的に表れている。人を人とも思わないような、生命に対して何の感覚も持ち合わせていないような、簡単にクラスメートを殺し、先生を殺傷してしまうような事件の頻発《ひんぱつ》は、その典型である。

景子はどうだろう。おじいちゃんはまぶしい日の光を感じたとき、緑の木々を吹き抜ける風に包まれたとき、何とはなしにありがたい気持ちになり、畏《おそ》れ謹むような心に染まって、思わず手を合わせて拝んでしまうことがある。何に対して拝むというのではない。身にしみついた感性として、そういう気持ちになり、そういう動作をしてしまうのだ。

しかし、このようなことはおじいちゃんだけではない。これまでの日本人には、その体の奥底に共通してあった感性なのだ。そして、これこそが日本精神の根源なのである。そこから日本ならではの規範が生まれ、礼節が整えられ、道徳が形成されていったのだ。

こういう感性を蘇《よみがえ》らせ、若い世代に受け渡していかなければならない。そうでなければ、日本は危ない。おじいちゃんは心底そう思っている。

日本精神の絆《きずな》は切れかかっている。ここで切れてしまったら、日本人を日本人たらしめるものはなくなってしまう。そうなったら、ボーダーレス化、国際化が進展する地球社会で、日本は存在していけなくなるだろう。

だが、まだ遅くはない。おじいちゃんはそう思いたい。

なぜ、日本精神、日本人を日本人たらしめている感性は、消えかかっているのか。

それは講和条約を結んで国際社会に復帰し、独立したのちも、占領下でアメリカから押しつけられた憲法を、いいはいい、悪いは悪いと検討することもなく、聖域化して今日までいたっている怠慢《たいまん》と無関係ではない。諸外国から戦争中のことを持ち出されると、そのことへの十分な認識や自覚もないままに、とっさに後ろめたい思いにとらわれて唯々《いい》諾々《だくだく》と詫《わ》びることとしかしない政治家たちのあり方と無関係ではない。「日の丸」を掲げ「君が代」を歌うとなると、何かとんでもない悪いことをするような感じになり、たちまち拒否反応を示してしまう雰囲気と無関係ではない。そして、愛国心という言葉を聞いただけで古いとかかっこ悪いとかいう感じ方をしてしまう心のあり方と無関係ではない。

これらを一つひとつつぶしていくことが大切だ。それによって、いまの日本人を呪縛《じゅばく》している精神的「カルタゴの平和」を克服することができる。そこから、日本人を日本人たらしめている感性を蘇らせ、日本精神を体得していく道筋が見えてくるだろう。

そのとき、日本人はアメリカの影響を本当の意味で受け入れ、日本精神のなかに消化し、私たちの生活に意義のあるものにしていくことができるだろう。

おじいちゃんの考えをもっとわかってもらうために、景子に読んでほしい本がある。前にも触れた新渡戸稲造の『武士道』がそれだ。何種類か出ているが、奈良本辰也《ならもとたつや》訳（三笠書房刊）のものがいいだろう。

日本人が書いたものなのに、翻訳者がいるのは妙に思うかもしれないが、この『武士道』の原文は英語で書かれたものなのだ。だから、原文の『武士道』はアメリカの図書館にもあるに違いない。できることなら、Ms.Wood にも読んでもらいたいものだ。

# Ⅴ　日本人の心

「自分を自分たらしめるものの基盤は、国民性であり民族性である。それが明確であれば、お互いの違いを認識して認め合い、受け入れていくことができる。そうでなければ、大きなうねりのなかに飲み込まれ、自分を見失って、雲散霧消《うんさんむしょう》してしまうことになるだろう。国際化とは国民性、民族性の明確化と同義語であることを知るべきである」

マッカーサーを訪ねた昭和天皇（昭和20年9月27日）

［質問15］天皇について、おじいちゃんはどのように考えているか、ぜひ聞かせてください。（注：この質問はMs.Wood にぜひ入れるようにといわれたものです。彼女はなぜか、天皇に非常に関心を持っているのです）

## 天皇という存在の不思議

だいたいビジネスの用件を抱えてだが、おじいちゃんは何度もアメリカに行っている。そんなとき、パーティの雑談の折などに、よくアメリカ人から天皇について質問されたものだ。日本の天皇という存在はアメリカ人にとってよくよく興味をそそられるもののようだ。一つには、アメリカという国はその歴史の最初から王室を持たなかったということがあるようだ。それだけに、王室というものに対して憧《あこが》れに似た気持ちがあるのだろう。

しかし、日本の天皇はイギリスなどいまでも王制をとっている国の王室とはどこか違っている、ということもアメリカ人は感じているようだ。もう一つわからない、何とも不思議な存在。そんな感じが、アメリカ人が天皇への関心をふくらませる要因らしい。

天皇について質問されて、おじいちゃんはいろいろと答えてきたが、結局のところ、アメリカ人にはわからないのではないか、という気がしている。というのは、ほかでもない、自然をはじめとする身の回りのものすべてをありがたいと感じ、身を慎んで謙虚になり、畏《おそ》れ敬《うやま》う感性——そういう日本人の心の根源にあるものがわからなければ、天皇の存在を正確に理解することはできないからだ。

景子も知っているだろうが、天皇には姓がない。あるのはお名前だけだ。なぜだかわかるかい。外国の王朝は何度も交代している。だから、王朝を識別するために姓が必要になる。しかし、日本の皇室は一度も交代していない。古い昔には王朝の交代があったとする歴史学者の説もあるが、正確なことはわからない。とにかく、その起源も定かでないような古い昔から、日本の皇室は連綿《れんめん》として続き、現在にいたっている。だから、他の王朝と識別する必要がない。姓は日本の天皇には必要ないということだ。

それほどに長く、連綿といまに続いてきたのはなぜか。そこにこそ、天皇という存在の本当の意義があるといえるだろう。

人間の歴史はその最初に祭祀王《さいし》をいただくところから多くがはじまっている。そのはじまりが定かでないような古い昔に起源を持つ天皇は、この祭祀王の色彩を色濃く残している。いま世界に存在する王で、祭祀王の色彩を残しているのは、日本の天皇だけであるといっていいかもしれない。

この祭祀王の色彩は、天皇が新嘗祭《にいなめさい》などの神事を行うところに見られる。ところで終戦直後、アメリカは天皇のこのような姿を誤解したようだ。また、誤解されて仕方がないところも確かにあったのだ。

どういうことかというと、戦争中、日本、特に軍部は天皇の祭祀王としての側面を利用しすぎた嫌いがある。天皇が執《と》り行う神事を中心に国家神道にまとめあげ、それを神がかり的な戦意《せんい》高揚《こうよう》に利用したのだ。おじいちゃんの陸士《りくし》時代、観兵式《かんぺいしき》で神のような存在の天皇の近くに供奉《ぐぶ》して感激したことを前に述べたが、そういう気持ちになったのも、天皇を神がかり的な存在に祭り上げる教育が行われたからにほかならない。

アメリカはこのような天皇の存在を不気味に感じ、神がかり的な要素をはぎ取ろうとした。一九四六（昭和二十一）年十二月十五日、GHQは政教分離《せいきょうぶんり》確立のため、国家神道《こっかしんとう》に対する政府の保障、支援廃止を打ち出し、それと表裏一体《ひょうりいったい》のように憲法第二十条に「信教の自由」をうたいあげたのがそれである。GHQは天皇を日本の宗教面での頂点に位置しているものとしてもとらえたのだ。GHQのこの意図にそって尻馬《しりうま》に乗った議論が、いまでも尾を引いている。天皇が宮中で執り行う神事は政教分離に反し、これに公費を出すのは憲法違反である、という議論である。

日本人のなかからこういう議論が出るのは、情けない話である。日本人でありながら、皇室が古い昔からいままでなぜ連綿と続いてきたのかを、まったく理解していない。日本人のなかにさえこういう輩《やから》がいるのだから、アメリカ人が天皇の存在を不思議に思うのは当然かもしれない。

私にいわせれば、神道といわれるものを宗教ととらえるのが間違っているのだ。戦争中、これを国家神道にまとめあげようとしたのにも無理があったのだ。そこにそもそもの混乱がある、といわなければならない。

## 日本人の心と一体化した精神的存在

そもそも宗教とは何だろう。宗教を宗教たらしめている要件を考えてみよう。まず宗教には教祖がいる。仏教、キリスト教、イスラム教など、世界の宗教を眺め回すと、必ず教祖がいる。これは宗教に必須《ひっす》のものなのだ。次に、宗教には教典があり、体系化された教義がある。これもまた不可欠のものだ。そして、宗教には必ず教団という組織がある。それによって信徒と非信徒を色分けする。これなしには宗教が成り立たない。

ところで、神道といわれるものはどうだろう。宗教の要件を一つも備えていない。教祖もいないし、教義もないし、教団もない。

それは当然のことだ。神道は宗教ではないからである。では、何なのか。

それは日本人の心だ、というのがもっとも正確だろう。自然を敬い、畏れ、あがめる。そこから出てくる感謝の念、敬虔《けいけん》で謙虚な心持ち、和を尊ぶあり方。それが土台になって培われる規範、礼節、道徳。そういうもののトータルとしての日本人の心が、神道といわれるものの内容なのだ。それを宗教ととらえるから無理が生じ、混乱が生まれる。

だから、天皇が執り行う神事も、キリスト教のミサなどとは本質的に異なる。日本人の心を形に表現し、身の回りにあるものすべてに感謝し、日本人すべての安寧《あんねい》を祈念《きねん》するものなのである。つまり、天皇は日本人の心の体現者《たいげんしゃ》であり、日本人の心と一体になった存在なのだ。日本人にとって、自分が日本人であることの思いを深くする存在、それが天皇なのだ。

だからこそ、天皇は日本人の求心力として、今日まで絶えることなく存在し続けてきたのだ。

では、天皇の政治性はどうか。これが何とも絶妙なのだ。その絶妙さが、アメリカ人にはなかなかわかりにくいところかもしれない。

神話に属するような古い昔のことはいざ知らず、明確に歴史が書かれるようになって以後、権力をふるって君臨《くんりん》した天皇は一人もいない。十四世紀、つまり日本の南北朝時代、後醍醐《ごだいご》という天皇が出て親政《しんせい》を行い、権力を行使しようとしたことはあったが、こういうのは例外中の例外、歴代の天皇が権力者であったことはまったくない。それなら、政治的には無力かというと、そうではない。天皇の真の存在意義は日本が存亡の危機に直面したようなときに発揮される。

たとえば、明治維新のときがそうだ。権力と権威を併《あわ》せ持って君臨していた徳川幕府が倒れた。政治の頂点がなくなってしまったのだ。国内は攘夷《じょうい》だ開国だと意見が分かれ、諸勢力が鋭く対立している。底無しの内戦に発展しても不思議はなかった。だが、そうはならなかった。天皇がいたからである。国家存亡の危機に天皇が表面に躍り出ることによって、強力な求心力となって働き、最低限の混乱で収まり、明治政府に結集できたのである。

もし、と考えてみる。日本に天皇という存在がなかったならば、どうなっていただろう。泥沼のような内戦となり、アジアに権益の拡大を狙う欧米列強の恰好《かっこう》の餌食《えじき》となって蚕食《さんしょく》され、アジアの諸国と同じように植民地支配に苦しまなければならなくなっただろう。欧米列強に分断され、たとえ植民地支配を脱したとしても、いまの日本がなかったことは確かである。

天皇がこのような機能を発揮することができるのも、日本人の心と一体になった極めて高い精神性を備えた存在だからにほかならない。

このような存在は世界に類例がない。それだけに外国の人には理解がむずかしいかもしれない。

## 終戦に発揮された天皇存在の機能

実は、おじいちゃんも天皇の存在意義を痛感した体験を持っている。

おじいちゃんもメンバーの一人だが、陸士出身でビジネスの世界で活躍している連中の集まりがある。勉強会をしたり懇談会をしたりという集まりだ。以前、その会でいまは亡くなられた迫水久常《さこみずひさつね》氏を招いてお話を聞いたことがある。迫水久常氏は戦後は大臣まで務めた政治家だが、終戦時の内閣となった鈴木貫太郎首相のもとで書記官長を務めた人だ。書記官長は、いまでいえば官房長官と思えばいい。その迫水氏に終戦時のお話をうかがったのだ。

迫水氏はポツダム宣言を受諾し、終戦を決定するにいたった経緯を率直に語ってくれた。

一九四五(昭和二十)年八月九日から十日にかけて、いわゆる深夜の御前会《ごぜんかい》議《ぎ》が開かれた。正式には、最高戦争指導会議という。会議のメンバーは鈴木貫太郎首相以下七名。昭和天皇のご臨席《りんせき》を仰ぎ、ポツダム宣言を受諾し戦争を終結するか、それとも宣言を拒否し、本土決戦を構えて戦争を継続するかの最終的な結論を出すための会議だった。

会議は議論沸騰《ふっとう》となった。米内光政《よないみつまさ》海相らは戦争終結を主張し、阿南惟幾《あなみこれちか》陸相らは本土決戦を主張した。議論はいつ果てるともなかった。

最終的に決をとることになった。結果は三対三。議長でもある鈴木貫太郎がどちらかに意思を示せば、それで決まりとなる。ところが、鈴木貫太郎首相はポツダム宣言受諾か本土決戦か、どちらとも自分の意思を表明しなかった。そして、こういったのである。

「三対三でいずれとも結論が出ない。こうなれば、最後は天皇陛下のご聖断を仰ぎ、それに従うことにしよう」

ここに鈴木貫太郎という人が首相の座にあった妙味がある。

実は鈴木貫太郎首相の本意は戦争終結にあった。だが、それを表明すれば、会議の結論は出ても、それでは収まらないことを承知していたのだ。陸軍を中心にした本土決戦派は反乱を起こし、その主張どおりに突っ走るに違いない。それを押さえられる力は自分にはない。そうなれば、国民は悲惨なことになる。どうすればいいか。本土決戦の強硬派を押さえ、終戦を納得させることができるのは天皇以外にはない。そう考えて、自分が最後の一票を投じるべきところを巧みに回避し、昭和天皇のご判断にゆだねることにしたのだ。それ以外に混乱を抑えて戦争を終結に持っていく方法はないと考えたのだ。

というのも、鈴木貫太郎首相は以前に昭和天皇の侍従長《じじゅうちょう》を務め、そのお人柄は熟知していたからだ。国民の安寧を何よりも優先して考えられる昭和天皇だから、そのお考えが奈辺《なへん》にあるかは推測がついていたのだ。

果たして、昭和天皇のご判断は「ポツダム宣言を受諾して戦争を終結する」だった。そのご判断は、十四日に開かれた閣僚と最高戦争指導会議の合同の御前会議でも重ねて示され、戦争終結の決定は動かないものになったのである。

それでも多少の混乱はあった。陸軍の一部には終戦阻止のクーデターを画策《かくさく》し、未遂に終わる事件があった。しかし、この程度の混乱で収まったのは、ほかでもない、終戦が昭和天皇のご意思であることが明確だったからである。

まさに国家存亡の危機に、天皇という存在の機能は存分に発揮され、強力な求心力となって働いたのである。

もし、鈴木貫太郎首相が評決に参加して終戦が決定したのだったら、どんな混乱が起こり、悲惨なことになったかは計り知れないものがある。

この時期、おじいちゃんたち陸士の生徒が北軽井沢で本土決戦に備えて訓練に励んでいたことは、前に述べた。玉音《ぎょくおん》放送を聴いても終戦が信じられず、「これは陛下のご意思であるはずがない。鈴木貫太郎の老いぼれが決めたことに従えるか」という声があがったのも、前に述べたとおりだ。私たちもそうだったのだから、同じように考えた人は多かったに違いない。茫然自失《ぼうぜんじしつ》になりながら、それでも終戦を受け入れて、無理やりにも自分を抑えたのは、それが天皇のご意思であることを感じたからにほかならない。「この陛下のご聖断がなければ君たちはあばれ、陸軍は絶対に納得しなかったであろう」と壇上《だんじょう》から睨《にら》みつけられた迫水さんの鋭い眼が忘れられない。

日本にとっての天皇とは何かの答えは、この一事に余すところなく示されている。

## 国民統合の象徴

天皇に対する考え方にはいろいろある。以上に述べたことでもわかるように、天皇についてのおじいちゃんの考えは、天皇機関説《きかんせつ》に似ているかもしれない。天皇機関説とは戦前の憲法学者、美濃部達吉《みのべたつきち》博士が唱えた学説だ。要するに、近代国家のなかに天皇制をどう位置づけるかについて考証《こうしょう》し、天皇を国家の一機関としてとらえたものだ。

この学説は、天皇を国家の機関とは何ごとだと政治問題になり、美濃部博士はその著書が発禁《はっきん》となり、貴族院議員を辞することになった。天皇を神がかり的な存在に仕立てようとする軍部の意に反したためにそうなったのだ。

しかし、近代国家のなかに天皇を位置づけるとすれば、一機関ということになるのだろう。ただし、それは終戦時に発揮された天皇の機能でもわかるように、究極の機関ということだ。

もっとも、天皇を機関としてだけではとらえられないという思いもある。日本人の心と一体になり、それを形として表現しているのが天皇である、ということがあるからだ。日本人の心を具現《ぐげん》する存在であるからこそ、天皇は国民から敬愛され、一機関といった権力や権威や権限を超越した存在であり続けることができるのだ。

おじいちゃんが目白にある学習院の大学で学んでいたとき、今上《きんじょう》（現）天皇は高等科で学んでおられた。大学と高等科の違いはあるが、ともに同じキャンパスで一時期を過ごし、卒業式などでは昭和天皇の御前《ごぜん》にあったというご縁がある。また、景子のお母さんは皇太子殿下と学習院大学の史学科で同時期にともに学び、ことに皇太子殿下もきみのお母さんも中世史の専攻だったものだから、親しくご交友いただき、いっしょにコンパを楽しんだりしたこともある。

こういうご縁をいただいているおじいちゃんとすれば、大変だとは思うが、天皇は日本の規範、礼節、道徳といったものを担《にな》い、その一身に体現し続ける存在であってほしいと思う。生活を質素に、慎み深く、和やかな姿を示し続けてほしいと思う。そういう天皇である限り、日本人の心の奥底にその心と一体となって存在し、日本人を日本人たらしめる求心力となり続けるだろう。そして、日本の安寧は保たれるに違いない。

しかし逆にいえば、日本人から日本の心、日本の精神が失われたとき、天皇は存在し得なくなる。それは日本が滅びるときだ。日本人が地球上に存在しなくなるときだ。現行憲法では、天皇を「国民統合の象徴」としている。いい得て妙である、とおじいちゃんは思っている。

[質問16]
私の長い質問に答えてくださって、ありがとう。おじいちゃん、いよいよこれが最後の質問です。おじいちゃんは戦後の社会を生きてきて、いま、日本という国のこれからのあり方について、また日本とアメリカの関係のあるべき姿について、どのように考えていますか。

## 日本人の心を帯して

景子もおじいちゃんの長い答えを読んでくれてありがとう。

いろいろと偉そうに述べてきたが、戦後の社会をおじいちゃんがどう生きてきたかを要約すれば、ビール会社という食品の狭い一分野にすぎないが、その会社の発展に全力を注いできたということに尽きる。おじいちゃんはまさに、高度成長に邁進《まいしん》する一産業戦士であったわけだ。そのことに悔いはない。それどころか、業績不振に陥った会社の立て直しに全力を傾け、ささやかではあったが私にできることはすべてやったと満足し、誇りにさえ感じている。

しかし、その一方でもどかしいものも感じてきた。日本の精神を見失い、荒廃を深めていくような現状に、焦《あせ》りに似たものを覚えてもいた。これまでに述べてきたような私の考えを、もっと表現すべきではないかと考えてきた。

その点で何もしなかったわけではない。機会あるごとに私の考えを述べることはしてきた。ささやかでも私に鳴らせる警鐘《けいしょう》は鳴らしてきたつもりだ。しかし、断片的のそしりは免《まぬが》れることができなかったと思う。

Ms.Wood の課題によって景子が送ってきた質問に答え、ようやくまとまった形で自分の考えを述べることができ、いまはやり残してきたことのいくらかを果たしたような気持ちで満足している。こういう機会を与えてくれた景子に感謝しなければならないね。

実をいうと、まだまだ書き足りないことがある。しかし、いまのおじいちゃんの体力と筆力では、このあたりが限界だ。いい残したことは、いずれ機会をつくって、また景子に聞いてもらうことにしよう。

ここに述べたことは、あくまでもおじいちゃんの考えだ。別の考え方をする人もいるだろう。ただ、おじいちゃんのように考えている日本人もいるということを、景子にはわかってほしいのだ。そして、ほかの人の考えも読んで、景子は景子自身の考えをしっかりと形成してほしい。そのとき、おじいちゃんの考えが一つの参考になれば、こんな嬉《うれ》しいことはない。それが継承というものである。

いま、おじいちゃんは長い間禄《ろく》を食《は》んでいたビール会社から離れ、ビジネスマンとしての生活に終止符を打った。会長を務めたのち、顧問《こもん》として会社に留《とど》まっていたが、それを離れることになったわけだ。そんな私に、会社は名誉顧問の肩書を贈ってくれた。これは肩書だけで、収入があるわけではないし、仕事として関《かか》わりを持つわけでもない。まさに単なる肩書だ。

しかし、この肩書はおじいちゃんの功績を会社が認めてくれたしるしだ。私が全力を傾けてきたことへのご褒美《ほうび》、勲章《くんしょう》だと思って、ありがたく受けることにした。

このような私の変化の境目に、景子に長い答えを書くことになった。それは私がこれからやるべきことを示してくれることにもなったと思う。その点でも景子にお礼をいわなければならない。

私がこれからやるべきこと。それは「日の丸」を心の底から誇りをもって掲揚できる日本人、「君が代」を喜びをもって歌える日本人を、一人でも増やしていくことだ。国を愛する気持ちを無意識にも胸の奥底に持っているような日本人を一人でも増やしていくことだ。そのためには、日本人を日本人たらしめている精神、日本人の心について語り続けなければならないと思っている。

長い歴史と伝統と文化の積み重ねのなかで、自然に培ってきた、日本人の肌身にしみている感性。それを養うことができれば、だれもが「日の丸」を誇りに満ちて仰ぎ見るようになる。「君が代」を心の底から歌うようになる。私はそう信じている。

率直にいって、人生を双六《すごろく》になぞらえれば、私は上がりにきた人間だ。やるべきことはやった、あとは次の世代にまかせておけばいいと、日本の現状から目をそむけ、楽隠居《らくいんきょ》を決め込むこともできないではない。そのほうが安楽かもしれない。

だが、それでいいのだろうか。古臭くて頑固《がんこ》でうるさい爺さんだと思われても、いうべきことはいい続けなければならない。景子の質問に答えながら、そう思うようになった。そういう生き方をすることが、日本の心を帯して一人の人間としての自分をまっとうすることになる。いまはそのように考えている。

## 「日の丸」と「君が代」

「日の丸」を国旗、「君が代」を国歌とする規定は、憲法のどこにもない。だから、学校の卒業式などの式典で「日の丸」を掲揚し、「君が代」を歌うのは憲法違反である。そんな議論がある。

馬鹿も休み休みいえ、といいたくなる。世界を見渡してみるがいい。国旗や国歌を法律で規定している国もある。だが、国旗や国歌について何の規定も持たない国もゴマンとあるのだ。では、そういう国には国旗や国歌はないのかといえば、そんなことはない。何の規定がなくとも、その国の人間はだれもが国旗、国歌として認め、誇りにしている。そういう国は多いのである。

法的な規定がなくとも、そういう形で存在する国旗・国歌こそほんものかもしれない。歴史と伝統と文化の裏打ちがなければ、法的規定なしに国旗・国歌と認められるものにはならないからだ。

「日の丸」の歴史は古い。それが確かな史料によって認められるのは、中世にさかのぼる。武士たちが私的な旗印《はたじるし》として用いはじめたのがそもそもである。絵図《えず》などで確認できるのは中世だが、実際の「日の丸」の登場は、それ以前にさかのぼるだろう。この旗印が登場したのは、自然を敬い、畏れ、あがめる日本人の感性の根源にある太陽信仰と関係があることは、容易に推察できる。

この「日の丸」は近世初頭には朱印船《しゅいんせん》の船印として使われるようになり、鎖国後は幕府専用の船印として公的権威を持つものになった。一八六〇（万延《まんえん》元年に派遣された遣米使節を乗せた咸臨丸《かんりんまる》には、「日の丸」がへんぽんと翻《ひるがえ》っていた。そして、一八七〇（明治三）年以降、「日の丸」に関する規定が次々と打ち出され、日本の国旗として認められて内外に公示された。「日の丸」が国旗にいたる過程を見ると、自然に浸透していった感じがうかがえる。それだけ日本人の感性に馴染《なじ》むものだったのだ。

このような歴史を背負った「日の丸」を、国旗として認めるのに、どういう差し障りがあるのだろう。「日の丸」は中国大陸に日本が進出していった記憶と結びつくというのは、まさに東京裁判史観に洗脳され、そこから覚めていない証拠というしかない。

「君が代」も同じである。この原歌は『古今集』に出てくる。読み人知らず、つまり作者不詳《ふしょう》の賀歌《がか》、祝い歌である。平安時代以来、これは一般的な長寿奉祝《ほうしゅく》の祝い歌として受け止められてきた。また、それがこの歌の本意である。それ以上でもないし以下でもない。「君が代」が天皇が統治する御代《みよ》というふうな解釈の色彩を強めていくのは、明治以後、ことに一九三五（昭和十）年以降である。天皇を神がかり的な存在に祭り上げるために、「君が代」を利用して国民精神を作興《さっこう》しようとしたのだ。そこに行き過ぎがあったことは認めなければならないし、「君が代」のためにはその本意がゆがめられて、不幸なことだったといわなければならない。

しかし、そういう歴史も含めて、「君が代」は日本をシンボライズする歌として歌われてきたのだ。歌の本意に戻って、「君が代」は文字どおり「あなたの代」と解釈してもいい。「私自身の代」のことだと思ってもいい。これまで述べてきたように、天皇は日本人の心の具《ぐ》現《げん》であり表象《ひょうしょう》であるのだから、「君が代」を「天皇の代」としても何ら差し支えない。過剰に国民精神作興のために「君が代」を利用した過ちも含めて、「君が代」は学ぶべき歴史を背負っている。それに誇りを持って「君が代」は、国歌たるにふさわしい歌だと私は思う。

百歩譲って、「日の丸」「君が代」がいけないというのなら、代案を出すべきである。ところが、「日の丸」「君が代」を否定する輩《やから》は、国旗・国歌を持つことは国家意識の強化につながり、個人の自由を圧迫することになるなどという。国なき民の悲惨を知らないから、そんなことがいえるのだ。独立した国家を背景に持つことが、人間の自立と自由を保障する何よりのものであることを知らないから、そんな戯言《たわごと》をいうのだ。

景子はあまり覚えていないようだが、幼いころ、やはりお父さんの転勤に従ってニューヨークで過ごし、向こうの幼稚園に通っていたことがある。そのとき、おじいちゃんが幼稚園を訪ね、保育の様子を参観したことがあったが、景子は覚えているだろうか。

あのとき、おじいちゃんに強烈な印象を与えたものがあった。それは国旗である星条旗に対する教育だ。保育室には星条旗が掲げられ、常に星条旗に敬虔《けいけん》に対応するしつけをしていたのである。アメリカは基本的に自由主義で、個人主義の国だ。だが、その自由も個人もしっかりした国家という存在があって保障されることを、星条旗を通して幼いときから教えているのだ。おじいちゃんは日本の「日の丸」に対する扱いを思い浮かべ、うーんとうなるしかなかったものだ。

フランスの国歌は「ラ・マルセイエーズ」である。フランス革命の際に歌われた歌が国歌になっているのだ。その歌詞は実に生臭《なまぐさ》く、血の匂《にお》いがする過激な言葉がちりばめられ、残虐とも激烈ともいいようがないほどのものである。

だが、フランス人はそういう歴史が自分たちにあったことから目をそむけようとはしないのだ。フランス革命の歴史的意義といったプラス、そのなかで犯した過ちというマイナス、それらを含めて自国の歴史に誇りを持っているから、胸を張って「ラ・マルセイエーズ」を高らかに歌うのだ。

日本人も「日の丸」と「君が代」を国旗・国歌として尊重し、胸を張って掲揚し、歌えるようにならなければならない。自分が拠《よ》って立っている国を愛する気持ちがあれば、自然にそうなる。そのためにも日本人の心を養わなければならない。

そうでなければ、日本はだめになる。

これからの日本のあるべき姿は、この一事に表現されるとおじいちゃんは思っている。

## 国際性と国家性

バブル崩壊後の長い平成不況のなかで、日本はいま、大きな転換期に遭遇《そうぐう》している。この苦しみはまだまだ続くし、これから大変な痛みを日本はなめなければならないだろう。

しかし、私は楽観的だ。こんなことでへたってしまうほど、日本はひ弱ではない。日本経済は世界で大きな存在になっているし、それにふさわしく、秘めた潜在能力は非常に高いものがあるのだ。

日本は必ず蘇る。また、蘇らなければならない。

日本がへたり込んだままでは、アジアはさらに沈み込んでいくばかりだ。現在の苦境から立ち直ることは、日本の立ち直りなしには不可能といっていい。そして、アジアが苦境に沈み込んだままでは、アメリカやヨーロッパにも響いていく。世界のなかで日本はそれほど大きな存在なのだ。日本が苦境から脱することは、国際社会への責務であるともいえる。

そのためには、大変革を経験しなければならない。変革の一つである規制緩《きせいかん》和《わ》一つをとっても、これまでにない変化が予想される。外国の資本が入ってくる。人間も入ってくる。文化も入ってくる。ボーダーレス化、国際化の進展に拍車《はくしゃ》がかかるのだ。

そのなかで根無し草だったら、どういうことになるだろう。予想するまでもない。国際化の波に飲み込まれ、存在が消されてしまうしかない。

これからの人間は、好むと好まざるとにかかわらず、国際化の大きなうねりのなかで生きていくことになる。そのとき、自分を自分たらしめるものの基盤は、国民性であり民族性である。それが明確であれば、お互いの違いを認識して認め合い、受け入れていくことができる。そうでなければ、大きなうねりのなかに飲み込まれ、自分を見失って、雲散霧消《うんさんむしょう》してしまうことになるだろう。国際化とは国民性、民族性の明確化と同義語であることを知るべきである。

私が日本人の心を強調するのもそのためである。

それは個人のレベルだけでなく、国家のレベルでもいえることだ。日本とアメリカもお互いの違いを明確にして認め合い、お互いに受け入れていく関係でなければならない。過去に敵として戦った過ちを共有する日本とアメリカだ。そこから学んだものも共有することによって、日米両国は真のパートナーシップを確立することができる。世界の経済大国である日本とアメリカは、国際社会からよきパートナーであることを求められているし、国際社会に対してよきパートナーでなければならないという責務があるのだから。

そのためにも、急務は一人でも多くが日本人の心を養い、身につけることである。煎《せん》じ詰めれば、日本のこれからはその一点にかかっている。

いま、アメリカの学校で学んでいる景子は、そのための絶好の機会に恵まれていると思わなければならない。

アメリカで学ぶこの機会を、単に英語の上達とアメリカを知ることだけに終わらせてはならない。アメリカを知ることを通じて、日本を知らなければならない。そのことが、景子にとって何よりの課題なのだと自覚してほしい。

おじいちゃんはそのことを切に願っている。

# おじいちゃんのレポートを読んで

●馬場景子

## おじいちゃんのレポートの反響

Ms.Wood から出されたアメリカ史の課題として、おじいちゃんに送った質問状に対する答えが届いたのは、三月のことでした。その分厚さ、重さに感激しました。おじいちゃんがどんなに一所懸命に答えてくれたかは、その厚みと重さにしっかりと表れていました。

それだけに英語への翻訳は大変でした。英語にはまだまだ未熟な私だけでは、もちろん手に負えません。父に手伝ってもらいました。いいえ、手伝ってもらったというのは正確ではありません。翻訳は父が主役で、私はお茶を運んだり、辞書引きを手伝ったり、というのが実態でした。

おじいちゃんの日本語をどう適切に移し替えるか、かなりむずかしいものがあったようです。

「大変な勉強になったよ。おかげで翻訳家としてもご飯が食べていけそうだ」

これは翻訳を終えての父の感想です。忙しいお仕事にもかかわらず、景子に全面協力してくれた父にも絶大な感謝です。

おじいちゃんの返事の厚みと重みに感激した私でしたが、読み進むうちに、さらに感激は深まりました。いいえ、感動というべきでしょう。これまで見えていなかったものが見えてきて、興奮しました。と同時に、いつも明るくて闊《かっ》達《たつ》なおじいちゃんがどんなに真剣にこれまでの人生を歩んできたかがわかってきて、胸がふるえました。

私はおじいちゃんが大好きです。好きというのは、孫には大甘で、願いごとは何でもかなえてくれるから、というのが大きな部分を占めていました。けれど、おじいちゃんの長い長いレポートを読んで、もっともっと好きになりました。好きの部分が増えたのは、おじいちゃんが尊敬できる人だったからです。

こんなにも真剣に戦争をくぐり抜けて、戦後も精いっぱいがんばってきたおじいちゃん。素敵だと思います。

大好きで、尊敬できて、素敵なおじいちゃん。何か誇らしささえ感じます。こんなおじいちゃんを持っていること。それは私の幸せの一つだと思います。

Ms.Wood のアメリカ史の教科書は、電話帳のような厚さです。日本とアメリカとの戦争のことも、相当の分量を占めています。そこには、アメリカが日本と戦ったのは正当な理由があったからだということが書かれています。アメリカが正当なら、日本は不当ということになります。そういうトーンで一貫しています。

そのところの授業では、何だか顔をあげられないような気分でした。少し違うな、と感じたこともあります。たとえば、原爆の犠牲者の数が記されているところです。教科書には原爆が投下されたその瞬間の死亡者数しか記されていないのです。私も詳しく知っているわけではありませんが、原爆の被害とはそんなものではない、被爆者の苦しみは戦後もずうっと続き、いまでも年々死亡していく人が絶えないことは知っています。そういうのもトータルして原爆の被害としてとらえなければ、原爆というものの本当の姿はわからないのではないかと感じました。

しかし、チラリと感じただけで、何もいえませんでした。女子学習院にいたとき、近現代史はまったく学ぶ機会がありませんでしたが、それでも新聞やテレビなどで、戦前の日本は悪いことばかりしていたのだという感じを何となく持っていました。だから、顔をあげて、そこは違うのではないかと発言することができなかったのです。

でも、それは私が何も知らなかったからです。おじいちゃんの長い長いレポートを読んで、知らないことは恥ずかしいことだとつくづく感じました。知っていれば、クラスメートに正確な知識を与えることができたのです。日本のことをもっと勉強しなければ、と強く思いました。

おじいちゃんのレポートを翻訳してMs.Woodに提出すると、彼女は驚きの声をあげました。やはり、私と同じように抜群の分量にまず感激したようです。一読して、さらに感激は増したようです。

「景子のおじいちゃんによろしく。私がどんなに感激しているか、伝えてちょうだい」

そういってくれました。

Ms.Woodはおじいちゃんのレポートを大量にコピーして、全校で彼女の歴史の授業を受けている生徒に配布しました。私はすっかり嬉しくなり、おじいちゃんのメッセージが一人でも多くに伝わるようにと願わずにはいられませんでした。

反響は大変なものでした。

「すごく勉強になったわ」

「一つのことを反対の角度から見ると、違ったことがわかってくるものだね」

友人たちは次々に感想をいってくれました。おじいちゃんのレポートを話題にして、話し合いの場ができたりしました。

「きみのおじいちゃんの考えにはすごく共感するところがあったよ。こういうふうに考えている日本人がいるということを知って、日本に親しみが湧《わ》いてきた。日本に行ってみたいな」

友人の一人がそういってくれたときには、私はすっかり嬉しさに舞い上がって、思わず涙ぐんでしまったほどでした。

## 私は日本人

ニューヨークに移り住んで、マスターズ・スクールに転入した当初は、カルチャー・ショックの連続でした。

私の誤解かもしれませんが、日本の学校はあくまでも授業が中心、それだけで学校の時間のほとんどが埋められ、授業以外のことは余分なことといった空気があるのではないでしょうか。マスターズ・スクールに来て、なおさらそんな感じがするのです。

というのも、こちらでは絶えずという感じで、次々とイベントがあるのです。マスターズ・スクールにはいろんな国籍の生徒が通学しています。それで、それぞれのお国自慢の料理をつくってディナー・パーティを開いたり、各国の民族衣装を着てきてファッション・ショーをやったり、といったイベントが目白押しなのです。それらのイベントは、いつか授業に結びつけられるというふうです。

イベントは楽しみです。だから、学校が楽しく感じられて、生活の中心はどうしても学校ということになります。そのようにして生徒を勉強に向かわせていく。学校はそのように配慮しているようです。

そういう校風は私には新鮮なショックでした。

しかし、何といってももっとも大きなカルチャー・ショックは、授業そのものでした。たとえば、Ms.Woodのアメリカ史の授業です。授業は四十分ですが、先生がしゃべるのは、長くてせいぜい最初の十分程度。あとは生徒の報告とそれに対する質疑応答に充てられます。質疑応答は議論になり、喧嘩腰《けんかごし》の口論になることも珍しくはありません。でも、先生は滅多《めった》に口を挟むことはありません。討論がまったく的外《まとはず》れになったようなときにちょっとアドバイスするだけです。無理にまとめたり、結論づけたりすることもしません。生徒の討論にまかせて授業が運んでいくのです。

これは驚きでした。日本では時間いっぱい先生がしゃべり、私たち生徒はそれを必死にノートして、覚えようとする。ほとんどの授業がそういうものだったからです。授業中に生徒が発言して自分の意見を述べるようなことは、一年に何回もないことでした。

日本とアメリカの授業は、まったくベクトルが逆なのだと思います。日本はまず知識を覚え込むことに力点を置く。その知識をもとにして考えるようにする。といっても、考えることに時間が充てられるのはほとんどないのですが。

だが、アメリカの授業はまず考えることが最初にきます。考えるためには知識が必要になります。そこで知識を覚え込むことに向かう。そして、獲得した知識に基づいてさらに考え、それを発表する。そのように組み立てられていると思います。考えること、考えたらそれを論理的に、みんなを説得できるように表現すること、そこに一番の力が注がれているのです。

私がショックだったのは、授業の内容だけではありません。その討論の輪に私自身がなかなか加われなかったことが、何よりも大きなショックでした。最初は私の英語がだめだったからということもあります。しかし、それだけではありません。いざ発言しようとしても、私のなかは空っぽで、主張すべき自分の意見がないのです。それに気づいたときには、ガクンとなりました。

ここにおじいちゃんから送られてきた一冊の本があります。『二〇二〇年からの警鐘』（日本経済新聞社刊）という本です。そのなかに、一九九七（平成九）年十一月に横浜の神奈川大学で行われた留学生スピーチコンテストで、姜《きょう》慧《けい》さんという明治学院大学に在学する二十二歳の中国人留学生が、「沈黙する羊たち」と題して発表したスピーチが載っています。その要旨は次のようなものです。

姜さんが取っている大学のゼミでのことです。一人の学生が研究発表をします。姜さんはわからないところ、疑問に思ったところを質問しました。すると、その学生は手元にある教科書や参考書を読み上げました。そこで姜さんはさらにいいました。

「教科書や参考書にそう書いてあることはわかっています。私はそのことについてのあなたの意見を聞きたいのです」

すると、研究発表をした学生は下を向いて黙り込んでしまいました。ほかの学生もむっつりと黙りこくって、自分はこう思うといった意見を発表する人もいません。ゼミの教室はしんと静まり返って、何となく気まずい雰囲気になってきました。見かねた教授がとうとう助け船を出してまとまりをつけ、そこでゼミは終わりになります。と、研究発表をした学生が一言、「キツーイ」とつぶやいて、苦笑しながら教室を出ていきました。

これは、たまたまあるときのゼミの風景を述べたものではなく、いつも繰り返されることなのだそうです。

姜さんは、日本の学生はあまりものを考えないのか、それとも自分のいっているいることがわからないということなのか、口をつぐんでまったく意見をいわないので見当がつかない、と述べます。そして、これでは他者とコミュニケートすることができないし、自分を高められるはずがない、日本の大学生は「おとなしいだけの羊と同じ」ではないかと思った、という感想で姜さんはスピーチを締めくくっています。

これを読んで、私は人ごととは思えませんでした。姜さんが述べた学生の姿は、まさにマスターズ・スクールに転入したころの私自身の姿だったからです。

おじいちゃんはレポートのなかで、日本人の心を培うことの大切さを繰り返し説いています。それがどんなに大切なことか、よくわかります。自分のなかにアイデンティティの核となる民族としての心がない、だから、何をどう考えていいかわからないし、したがって、これといった意見もない、ということになってしまうのでしょう。

次々と争うようにして発言するクラスメートを見ていると、それぞれの国の歴史、伝統、文化があり、それを土台にして自分という人間をつくりあげていることがわかります。自分の国、民族の心を自己形成の柱にしているから、どんな事柄にも意見を持たないではいられないし、主張したいことが出てくるのだと思いました。

私のマスターズ・スクールでの体験。そして中国人留学生、姜さんの意見。それは私たち若い世代の日本人が持つ共通の弱点を、鋭く指し示していると思います。単に弱点というだけではなく、このままでは日本人が痩《や》せ細り、日本そのものが貧弱になってしまう危惧《きぐ》をはらんでいると思います。それだけに、おじいちゃんのレポートにある主張は、痛いようにわかりました。こういうのを骨身にしみるというのでしょう。

いまの私は、わかってもわからなくても、中身が貧弱であっても何でも、まとまっていてもいなくても、とにかく自分が感じたことを言葉にして発言するようにしています。と同時に、もっともっと日本のことを勉強して、知らなければと痛感しています。日本の心を自分のものにしなければと思います。真剣に、心の底からそう思います。私の将来はどうなるのか、いまは何もわかりませんが、どのような道に進み、どのような生活をすることになっても、私が日本人であることは死ぬまで変わらないのですから。

## 仲良しのコリアンと私

クラスメートにはコリアンもいます。チャイニーズもいます。第二次大戦で日本が深く関わった国の人たちです。

私はコリアンの人ともチャイニーズの人とも大の仲良しです。おしゃべり仲間で、いくら話しても飽きることがありません。だいたい、うちの学校では何国人だから仲がいい、何国人だから仲が悪いといったことはないようです。

でも、ほかの学校に行っている日本人の友人に聞くと、そうではありません。ジャパニーズとコリアンはほとんどが決まって仲が悪いそうです。

その友人もコリアンのクラスメートとは話したこともないといっていました。最初のとき、私の友人がジャパニーズであることを知ると、コリアンのクラスメートは怒りをにじませた目でにらみつけてきたといいます。いつもそういう視線を向けてくるそうです。それでは話などできるものではないでしょう。

私の友人は、なぜあんな目をするのか、わけがわからないといっていました。でも、私にはわかります。

おじいちゃんのレポートにあるように、日本はコリアを併合して支配しました。日本にはそうする理由があったとしても、それは日本の側の論理です。やはり支配されるコリアの人びとの苦痛は大きかったでしょう。私と仲良しのコリアンはそれを経験したわけではありませんが、親か、その親はそのときのことを経験しているわけです。

学校のいじめでも、いじめたほうは「そんなことがあったっけ」という感じで、ケロリとしてしまいますが、いじめられたほうは忘れることができません。それと同じだと思います。親から子へと語り伝えられて、ジャパニーズには憎しみのこもった目を向けることになるのでしょう。

仲良しのコリアンは冷静な人ですから、すっかり打ち解けてから、そういうことを私に話してくれました。受けたひどい仕打ち。味わった屈辱。その痛みは私にもよくわかりました。痛みをわかってあげることで、私たちはもっと仲良しになれたと思います。

しかし、おじいちゃんのレポートを読み、日本がコリアを併合したわけも、そのために受けたコリアの人びとの痛みもわかってみると、日本とコリアの間には大きな歪《ゆが》みがあることを感じます。

日本人である私も私の友だちも、日韓併合のことはほとんど何も知らない。だが、仲良しのコリアンは日韓併合のことをよく知っていて、日本に対して憎しみの感情を持っている。この違い。それは教育の違いだということがわかってきました。日本は何も教えない。コリアではかなりの時間を割いて教えている。その内容を仲良しのコリアンに詳しく聞いたのですが、反日教育というのでしょうか、どうも日本への憎しみをかき立てるような内容が多いようです。自分は経験したはずではないのに、私と同世代のコリアンが日本に激しい憎しみと怒りを抱いているのは、そういう教育の影響が大きいと思います。

しかし、このようなことでは、おじいちゃんのいうように、歴史に学ぶことはできないと思います。日本がコリアを併合した事実を知り、そこにあった過ちを知り、コリアの人びとが受けた痛みを知る。コリアの人も同じようにして、日本への併合を防ぐことができなかったコリアの問題点を知り、そこにあった過ちを知り、その過ちによって受けた痛みを学ぶ。そうしてお互いの違いを知り、それを認め合い、受け入れることで、私たちの世代は新しい日韓関係を結ぶことができるのだと思います。

日本の側は知らずにいて、コリアの側は憎しみだけを募らせる。そんな歪んだ形では、お互いに未来に向かう関係を結ぶことはむずかしくなってしまうだけです。

そういうことを、仲良しのコリアンと話し合いました。彼女はうんうんとうなずいてくれました。

これもおじいちゃんのレポートで学んだことの一つです。

このことを国際電話でおじいちゃんにちょっと話したら、「その気づきは素晴らしい。歴史の事実を知って冷静に学び、お互いの立場に立って考える態度が極めて大切なのだ」とすごく褒《ほ》められました。その口調は激賞というのがぴったりでした。もっとも、孫には大甘のおじいちゃんのことだから、幾分《いくぶん》割り引いて聞く必要があるのですが、私は嬉しい気持ちになり、ちょっぴり得意な気がしたことも確かです。

そのとき、おじいちゃんに一冊の本を読むように勧められました。安岡正篤《やすおかまさひろ》という偉い学者が戦前に書いた『日本精神通義』という本です。事実を冷静に学ぶこと、お互いの立場に立って考えることの大切さが、びしっと書いてあるのだそうです。私がこれまで手を出したことがない類の本ですが、近くおじいちゃんが送ってくれるというので、読んでみようと思っています。

## アメリカ一人暮らしの決意

私はマスターズ・スクールで二年間を過ごし、卒業になりました。私は随分迷いました。この二年間、迷い続けだったといってもいいでしょう。私の進路についてです。

父はいまニューヨークに勤務していますが、そのうち転勤になって、日本に帰ることは確実です。このままアメリカのカレッジに進学すると、一人暮らしになります。私は一人暮らしの経験がありません。日本でも一人暮らしは大変だと思うのに、アメリカでの一人暮らしになったら寂しいだろうな、という甘えっ子気分も多分にあって、カレッジに進んで一人アメリカに残るか、それともマスターズ・スクール卒業を機会に、日本に帰って学習院に復学するか、とても揺れたのです。

学習院も楽しかったし、仲良しの友だちも多いし、というのも迷いの理由になっていました。

英語は大分進歩したけれど、でも、まだ日本語同様というわけにはいきません。日本語でおしゃべりできるのは、気楽だろうな、という気持ちもありました。

しかし、アメリカの生活は刺激的だし、と思ったり。そんなわけで、あっちにふらふら、こっちによろよろと、進路のことを決められないでいたのでした。

しかし、私は決めました。アメリカのカレッジに進むことにしたのです。

この決意には、おじいちゃんのレポートの影響が大きいのです。

アメリカで学ぶのは、英語が上達し、アメリカに詳しくなるだけではだめだ、アメリカの異なる文化を学ぶことを通じて日本を知り、日本の心を身につけることが課題だ、とおじいちゃんは書いていました。おじいちゃんから出された課題が、どんと私の背中を押したのです。

　心細いこともあるでしょう。困ることもあるでしょう。一人暮らしになれば、お小遣いは思いのままという具合にはいきませんから、暮らし方の工夫もしなければなりません。でも、大丈夫です。私はやっていけます。おじいちゃんのレポートが私に自信をつけさせてくれました。たのもしい支えになってくれるでしょう。

　これまでは、日本の歴史に自信が持てなくて、あまり詳しく知らないままに、また、あまり深く知りたくないという気持ちもあって、顔を伏せるような気分がありました。でも、そんな気分をおじいちゃんのレポートが吹き払ってくれたのです。

　おじいちゃんのレポートは、いまでも読み返しています。これからも読み返していくでしょう。これは私の原点になってくれそうな予感がします。

　読み返していると、もっといろいろ聞きたいことが出てきます。それをメモして溜《た》めています。いつかおじいちゃんと向かい合い、じっくり話すときのための準備です。

そのとき、おじいちゃんが私の成長を認め、喜んでもらえるようになっていたら、すごく嬉しいのだけれど。

※景子は一九九八年九月、アメリカでも最も古い伝統を誇る女子大、七大女子大（seven sisters）の一つであるMOUNT HOLYOKE COLLEGE《マウントホーリヨークカレッジ》に進学しました。（著者）

アメリカ史の先生Ms.Wood と孫娘の景子

In the spring of 1998, I asked my history students to research a topic in twentieth century history and conduct an interview with an eyewitness or participant in that history and to then share that information with our class. How fortunate we were indeed that Keiko's grandfather graciously agreed to answer her questions. Keiko took an entire class period to spellbindingly read her grandfather's illuminating and moving account of World War II and U.S.-Japanese relations.

Over a 20 year period, I have had the privilege of hearing accounts of World War Ⅱ from my students' parents and grandparents who lived in sixteen countries which include Algeria, Austria, China, England, Finland. France, Germany, Greece, India, Italy, Korea, Malaya, Russia. Thailand, the U.S. and now Japan. I believe we learn best about one another by sharing our stories and our hopes and dreams.

I agree wholeheartedly with Keiko's grandfather who said, "the important thing is to exchange and discuss different views to deepen our understanding of each other." After all, as human beings, we are all part of one another.

I am delighted that Keiko and her grandfather's conversation has been shared with the hundreds of thousands of people who have read, *Grandpa, Tell Me About the War.*

Mary T. Wood

# THE MASTERS SCHOOL
AT DOBBS FERRY

《Ms.Wood からの手紙（原文）》

I first met Keiko Baba in the fall of 1996. Although Keiko had only been in the United States for a few months, her spoken English was quite good, and her cheerful disposition, intelligence and enthusiasm was most appealing. It was my good fortune to be chosen to be Keiko's academic advisor and U.S. history teacher at The Masters School.

Keiko is an exceptionally gifted young person; she is an outstanding scholar, an accomplished musician and vocalist and a talented artist. In nearly 30 years of teaching, I never encountered such determination in a student.

Intellactually curious and committed to exellence, Keiko often spent six hours a night on her studies. Keiko's friends come from many countries and diverse cultural backgrounds; she is well loved and respected in our community. Gifted in science and mathematics, Keiko is presently a student at Mount Holyoke College; she plans to become a physician. I admire Keiko's strenghth of character, imagination, compassion, and integrity. She is a wonderful young woman, and I arn proud to have been her teacher and to be her friend.

題を生徒たちに与えました。景子のおじい様から彼女の質問に答えてくださるというご好意を頂けたことは、本当に、私たちにとって何と幸運なことだったでしょうか。景子は、１時限の授業時間すべてを使い、第二次大戦と日米関係についての、おじい様の啓発的な、そして感動的なお便りを読み上げ、私たち聞き手を魅了したのです。私は、20年間、16か国、つまり、アルジェリア、オーストリア、中国、イギリス、フィンランド、フランス、ドイツ、ギリシア、インド、イタリア、韓国、マレーシア、ロシア、タイ、アメリカ、そして今や日本に暮らす生徒たちの両親、祖父母の方々から第二次大戦に関するお話を伺う恩恵に浴してきたことになります。私は、私たち一人ひとりの物語、私たち一人ひとりの希望と夢とを分かち合うことによって、一番よくお互いのことを理解し合えると信じております。

私は、景子のおじい様が次のようにおっしゃっておられるのに、心から賛同するものです。「大切なことは、異なる意見を交換し議論して、お互いの理解を深めていくことだ」。結局のところ、人間として、私たちはすべてお互い一人ひとりのつながりの一部分であるのです。景子と彼女のおじい様との会話が、『おじいちゃん 戦争のことを教えて』をお読みになった本当に大勢の皆様方によって共有されてきたことを、私は嬉しく思っております。

メアリーT.ウッド

## 《Ms.Woodからの手紙（日本語訳）》

私がはじめて景子に会ったのは1996年の秋のことです。アメリカに来てまだ数か月というのに、英語の会話力は相当のもので、ことに彼女の明朗闊達《かったつ》な性格、知性そして熱意は本当に印象深いものでした。マスターズ・スクールで、景子のアドバイザーとなり、またアメリカ史を担当できたことは、私にとって幸運なことであったと思っています。景子は、学業だけでなく音楽・芸術にも優れた、非常に才能溢《あふ》れた若人です。30年ほどになる教職を通じて、一人の生徒の、これほどの意志の強さに出会ったことはありません。知的な好奇心と最善を尽くすという気持ちから、夜中まで6時間にものぼる勉強を続けることもしばしばでした。景子の友人は多くの国々、そしてさまざまな文化的な背景から集まって来ていますが、こうした中で、誰からも大変愛され、尊敬されています。景子は、理数系が得意で、現在、Mount Holyoke Collegeに進んでいますが、医師をめざしています。私は、景子の性格のすばらしさ、想像力、人への思いやりの厚さ、そして誠実さに敬服しています。彼女は、すばらしい若い女性で、私は彼女の教師であったこと、そして友人であることを誇りに思っています。

1998年の春、私は歴史の授業で、今世紀の歴史上の出来事を調べた上で、その歴史の目撃者、あるいは参加者にインタビューを行い、その情報をクラスで共有するという課

silkworm. They lack cotton, they lack wool, they lack petrole um products, they lack tin, they lack rubber, they lack a great many other things, all of which was in the Asiatic basin.

They feared that if those supplies were cut off, there would be 10 to 12 million people unoccupied in Japan. Their purpose, therefore, in going to war was largely dictated by security.

# （資料）米国上院軍事外交合同委員会における マッカーサー証言

## STRATEGY AGAINST JAPAN IN WORLD WAR II

Senator HICKENLOOPER. Quescion No. 5: Isn't your proposal for sea and air blockade of Red China the same strategy by which Americans achieved victory over the Japanese in the Pacific ?

General MACARTHUR. Yes, sir. In the Pacific we bypassed them, We closed in. You must understand that Japan had an enormous population of nearly 80 million people, crowded into 4 islands. It was about half a farm population. The other half was engaged in industry.

Potentially the labor pool in Japan, both in quantity and quality, is as good as anything that I have ever known. Some place down the line they have discovered what you might call the dignity of labor, that men are happier when they are working and constructing than when they are idling.

This enormous capacity for work meant that they had to have something to work on. They built the factories, they had the labor, but they didn't have the basic materials.

There is practically nothing indigenous to Japan except the

# あとがきにかえて

## ●読者からの声

平成十年のクリスマスに本書の単行本を出版した後、たくさんの読者から感想のお手紙をいただき、平成十三年末にはその数は二千通を超えた。その層は老若男女の多岐にわたり、それらの真摯《しんし》な言葉のひとつひとつに、実に頭の下がる思いである。

ただひたすらに過去の日本の悪い部分のみを糾弾《きゅうだん》し、戦争に関《かか》わった者たちを他人事《ひとごと》として裁くような戦後日本の風潮が、少しずつでも変わってきたのかと期待している。

最後に、いただいたお手紙のなかから、いくつかをご紹介したい。

「これまで私は自分が〝日本人〟であることを忘れ……（中略）……、いえ、今まで自覚せずにいたように思いました。この本に出合い、自分に〝国〟があ

る意味を今さらながら知ることができました。この本との出合いを感謝せずにはいられません」（H・Oさん／女性）

「『己を持っていない』『日本を知らなすぎる』……（中略）……、私どもが強く自省すべき事項をお孫様との会話の中で披露され、感銘を覚えました。『昔は誇りを持って〝りん〟としていた』『自分よりももっと大切なもののために奉仕していた』。大いなる警鐘とうけとめ、座右の銘といたしたく存じております」（T・Kさん／男性）

「今まで戦争に関する本など読んだことのない私は、知識のなさを痛感すると同時に、中條氏の考え方に共感しつつ、多くの事を学び、考えさせられました。多くの人々が、個人（自分）の事だけに目を向け関心を持ち、まわりの事など無関心になりつつあり、個人の自由や権利が叫ばれている昨今、特にノンチック氏の詩にうなずけるものがありました。そして今まで『日本の心』『日本の精神』など考えたことのない私は、この1冊の本をきっかけに、なにか忘れかけ

ていたものが心のどこからか湧《わ》いてきたように思えました」（K・Yさん／女性／36歳）

＊

そして、戦争の時代を経てきた著者にとって何よりも嬉しいのは、本書をお読みいただいた後に、戦争体験を両親や祖父母からもう一度聞こうという態度になった、というお便りである。孫の景子に伝えるという当初の目的が、本にすることでより大きな役割を果たしたと、著者としては感慨に堪えない。

「戦争のことは両親などから時折聞いておりましたが、ただ説教じみた話にもつながり、若い頃からあまり真剣には受けとめておりませんでした。しかし、今回読ませていただいた貴方様のご本は、体験を体系的にまとめあげていらっしゃり、お孫さんに分かりやすくお伝えになられていらっしゃいますので、私も率直に受け止めることができました」（Y・Kさん／男性／49歳）

「私にも祖父と祖母がいます。祖母から小学生の時、『東京大空襲の夜は空が真っ赤だった』と一度だけ戦争の話を聞いたことがあります。この本のようにその時の感情や生活状況を聞いたことはありません。しかし、話を聞くことによって歴史の本や学校での勉強とは違う視点から戦争や日本の国を見つめられるような気がしました。今度は、祖父や祖母の話に耳を傾けたいと思います」

（C・Wさん／女性／24歳）

＊

孫と同世代である若い人たちがいま戦争についてどう考えているのかについては、常々、深い関心を抱いている。

驚いたのは、この世代の方々から大変多くのお手紙をいただいたことだ。しかし考えてみれば、戦後すぐに両親たちの世代の罪を教えられた四十代、五十代の世代より、若い世代のほうが偏見というようなものは少ないのかもしれない。

「私は現在二十一歳で、当然ながら戦争のことは全くわかりません。ただ、日本人は非道なことを行ってきたと漠然と思っていました。でも、中條様の本を拝読し、あながちそうでもなかったこと、むしろ当時の人々に学ぶべき点が多いということがわかりました」(Y・Sさん/男性/21歳)

「私はこの本を読むまで、日本が戦争に向かった経緯をほとんど知らなかった。(この本を読んで)いろんな理由があったんだと分かった。……(中略)……余計なことまで日本のせいにされるのは嫌だ。曖昧《あいまい》な認識のままじゃ、正しい事・間違っている事の判断ができない。判断し、意見を持つ為《ため》に、私はもっと詳しく知らなければならないし、同年代の人たちにも知ってほしいと思った」(女性/R・Kさん/24歳)

「小学生の頃から学校教育の中で日本は本当にひどいことをしてきたと教えられ、残酷で非人道的な人種であると植え付けられてきたような気がする。それだけに過去の戦争のことを教育の場に持ち込むべきではないと思っていた。戦争があったという事実を抹殺すべきではないかと思ってきた。しかし、中條先生のこの本を読み、重要なのは過去を忘れるのではなく真実を知ることだと知った。今後に活かすことを前提に日本が犯した許されざる行為を認め反省し、その一方でやってもいないことや真実と違うことまで過剰に批判する必要はないと感じた」（N・Gさん／男性／23歳）

＊

また、著者と同世代の人々のご意見も多数いただいた。その多くが、「世の中に言いたかったことを言ってくれた」というものだ。胸のすく思いがした、という感想もいただいた。

残念なことに戦争世代が徐々に減っていき、また親と子、孫との交流や語り継ぎが少なくなっている昨今、こうした思いを抱かれている方は少なくないのだろう。

「先日、君が代・日の丸法制化反対のデモ行進をしている人たちにぶつかりました。そんな彼らを見ながら、『国旗・国歌を守るために死んでいった多くの命に感謝することもなく、それこそ戦後の占領政策に操られるままに日本人としてのプライドやアイデンティティも忘れて……。視野が狭すぎやしませんか』。そう声を大にして言いたい気持ちにかられました。しかし、それができない今の日本。生意気ですが、私はやり場のない空しい寂しさを感じました。ですから、この本を読んでとてもすっきりした気持ちになりました」（J・Sさん／女性）

「大兄の云われる事凡《すべ》て同感です。而《しか》し同世代云々と云《い》う事とは全く関係なく、現在日本の社会全般に対して説かれている大兄の言葉は真実そのものであり、今後もっともっと主張していかねばならないものでありましょう。お孫さんの質問に答えるという形式をとった警世の書といってもよいでしょう」（H・Kさん／男性）

「（この本を読みながら）戦後の価値観が崩壊した時に進歩的な学者と称せられる人が次々とわが国にはなじまないことを打ち出され、それに反対しても受け入れてもらえず、自分の非力さをつくづく思い知らされたことなどが走馬灯のように駆け巡りました。戦前の貧乏ではあってもバックボーンがあり凜《りん》としていた日本をもう一度取り返したいものです」（A・Sさん／男性）

「誰もが書き残しておかねばと思いつつも何となく避けてきたことを、『中條史観』とも言うべきしっかりした歴史観に基づき、丁寧に分かりやすく書いておられる。それでいて行間から筆者の熱き想いがひしひしと伝わってくる。『さすが』としか申し上げようがございません。……（中略）……これまで誰もが避けてきたこのテーマが今最も相応《ふさわ》しい人によって取り上げられ、後世に残されることになったことを、想いを同じくする多くの人々と一緒に慶《よろこ》びたい、そんな気持ちで一杯です。本当にありがとうございました」（S・Jさん／男性）

＊

最後に紹介するのは、戦争を知らない世代として、自分の子どもと「戦争」をどう語り合うのかという難しい課題を抱えた、ある父親のお便りである。

「最近、子どもと戦争の話をする機会があり、戦争に対して改めて考える必要性を感じておりました。ちょうどその時にこの本と出合い、熟読いたしました。歴史の中で戦争に対する真実を明確にする事は非常に困難であると思いますが、本書の内容は私が今までに受けた教育が本当だったのかと考えさせられる内容でした。本書は私にとって『戦争論の入門書』でした。小学生の息子の質問と本書の『孫娘』・景子さんの質問とは重なる部分も多く、非常に参考になりました」（K・Sさん／男性／44歳）

二〇〇一年のアメリカ同時多発テロやパレスチナ抗争、そして日本の周りにも不審船《ふしんせん》事件、瀋陽《しんよう》の総領事館事件、韓国と北朝鮮の銃撃戦など、依然として「戦争」や「国のあり方」について考えねばならない現実がある。

今こそ、もっと広い層の読者、特に若い世代に本書を読んでいただきたいと私自身考えていたところ、小学館の佐藤幸一氏と真田晴美さんの熱烈な文庫化のすすめがあり、その熱意と、致知出版社の藤尾秀昭社長、柳澤まり子さん、泉巖氏の深いご理解が相俟《あいま》って実現した。関係の皆様に深く感謝、御礼を申し上げる次第である。

二〇〇二年七月八日

中條 高德

# 解説

渡部昇一

本書『おじいちゃん 戦争のことを教えて』は、私にとって個人的に忘れがたい一冊である。この本が出版された時、次の四つの点で非常にユニークだと感じた。

第一に、著者が戦後アサヒビールの復興に大きく貢献した実業の人であり、いわゆるプロの物書きではなかったこと。

第二に、この前の戦争について日本が単なる「悪者」ではないと確信して書いている点も特筆に値する。

そして第三に、おじいさんが孫に語るという形式をとっていること。子供は親には反発しがちだが、一世代を超えた祖父母には不思議と素直になれるものである。この本にはそうした祖父と孫の良い関係が実によく出ている。

第四に、本書のきっかけがアメリカの高校で行われた歴史のクラスで、アメリカ人教師の発案からはじまったことだ。アメリカ人の先生が、かつての敵国である日本人に、戦争やその時代について語らせようとしてくれたことは、アメリカという国の善なる部分を見た思いである。

実は、こうしたユニークな点に引かれ、当時、私がホストを務めていた『渡部昇一の新世紀歓談』（テレビ東京）に中條氏をゲストとしてお迎えし、この本について語っていただいたことがある。視聴者からの反響も大きく、中條氏宛てに全国からさまざまな感想のお手紙が寄せられた。

本書に書かれている内容は、「日本は悪い国であった」と教えこまれた戦後世代の人々にとって、初めて聞くようなことばかりだったかもしれない。私などは、これらの事実を実際にこの目で見た世代であり、その当時も、そして今も「この前の戦争は日本が一方的に悪かったのだ」とは夢にも思っていない。

たとえば、一九四一年、ＡＢＣＤラインによる包囲網が築かれ、日本は経済的に窮地に立たされた（本書１１９ページ参照）。そこで、芳沢謙吉がオランダ領インドネシアに派遣されて交渉にあたったが、その甲斐なく交渉は決裂。結局、日本は石油を輸入する道を世界中から閉ざされてしまった。夏休み前後の暑い時期、そのニュースを聞いた当時小学校五年生の私は目の前が真っ黒になった。「これは戦争しかない」。そう確信した。

当時の日本は、世界の三大海軍国であり、陸軍、空軍とも非常に強力だった。しかし、石油がなければそれとても動かすことはできない。日本国内の石油はといえば、新潟から多少の産出はあったが、取るに足らない程度で、出ないといってもいいくらいだった。日本にとって石油が絶たれることは致命傷であり、残された道は戦争しかないことは、小学校五年生の私でも容易にわかった。「石油が絶たれたのだから、しようがない」。当時、多くの人がそういう気持ちであったと思う。

もちろん、そこまでに至るプロセスにおいて、日本にも悪い部分があったことは否定しない。しかし、アメリカなどのやり方はもっと悪かったと私は確信している。その思いは今でも変わっておらず、この前の戦争で戦った双方、それぞれの言い分は認めつつも、やはり七対三で日本のほうに言い分があるというのが私の考えである。

戦後の「東京裁判」は、国際法を無視した非合法な裁判であった。そして、敗戦国の日本は一方的に「悪」とされてしまった。さらに悪いことに、そのための弁解は、その後の占領中、七年間にわたって一切許されなかった。その間、GHQに追随する人々だけが出世街道に乗ったこともあり、一九五一年に主権回復した後も、東京裁判が下した日本に対してきわめて悪辣《あくらつ》な判決内容を消す意欲を、日本政府も日本人もすっかり失ってしまったのである。

終戦当時、GHQ内で靖国神社を焼却すべきだとの意見が大勢を占めたことがあった。占領軍兵士の娯楽のため、ドッグレース場にするという提案まであった。しかし、当時、駐日ローマ教皇代表バチカン公使代理だったブルーノ・ヴィッター神父はそれに反対し、国のために死んだ人々はいかなる国においても尊敬されるべきだ、それは戦勝国でも敗戦国でも同じであると主張した。それを受けてマッカーサーは靖国神社の焼却を中止したという。

カソリックの神父でさえ、当時こうした意見を持っていたのである。それが、現在の日本では靖国神社公式参拝問題などが沸き起こっている。

戦後、日教組の左翼教師による教育で育った世代に、日本が全《すべ》て悪かったとする東京裁判史観がすっかり浸透し、その傾向はますますひどくなったのだ。

しかし、時がたてば、「事実」は自然と現れてくるものである。もちろん、日本の学校は依然として左翼教師たちが幅を利かせ、「日本は悪い国だった」という授業が相も変わらず行われているのは事実であるが、その一方で、最近になって、徐々に東京裁判史観とは違う見方が公の場で語られるようになってきた。

こうした中で、本書が文庫化されたことは、戦後の東京裁判史観に覆《おお》われて育っている人々がますます多くなっていく日本において、大変ありがたいことである。

それにしても、この本のそもそもの発端がアメリカの教室での出来事だったということは大きな感動である。アメリカが持つ「光濃ければ闇《やみ》も濃い」という特質を再確認した。アメリカ人教師のMs.Woodの提案の素晴らしさは、日本の学校で「支那事変はそもそも中国がはじめたことだ」と発言できる先生がいるかどうかを考えればよくわかることである。

今年、二〇〇二年は日本の主権回復五十周年にあたる。この後、「戦争の記憶」はますます薄れていくことだろう。どうかこの本が、先の戦争に対する日本人の声に、若い世代の人々が耳を傾けるきっかけになることを願っている。

（上智大学名誉教授）

**小学館文庫**
**好評既刊**

## そして陰謀が教授を潰した

青山学院春木教授事件
四十五年目の真実

早瀬圭一

ISBN978-4-09-407108-5

「先生は両手で私の首を絞め、気がついた時には私の肌着は引き裂かれ、暴行を受けたあとでありました」青山学院法学部・春木猛教授は、教え子への強制猥褻・強姦致傷の容疑で訴えられ逮捕される。懲役三年の実刑が確定したが、終生「冤罪」を訴え、無念のまま亡くなった——。

事件当時社会部記者だった著者は、教授の周囲を蠢く複雑怪奇な人間関係にどこかきな臭いものを感じ、入手した膨大な資料の整理を地道に重ねていく。教授が起こしたのは事件なのか、仕組まれた罠なのか。執念の取材の果てに辿り着いた事件の「真実」とは。（解説・姫野カオルコ）

小学館文庫
好評既刊

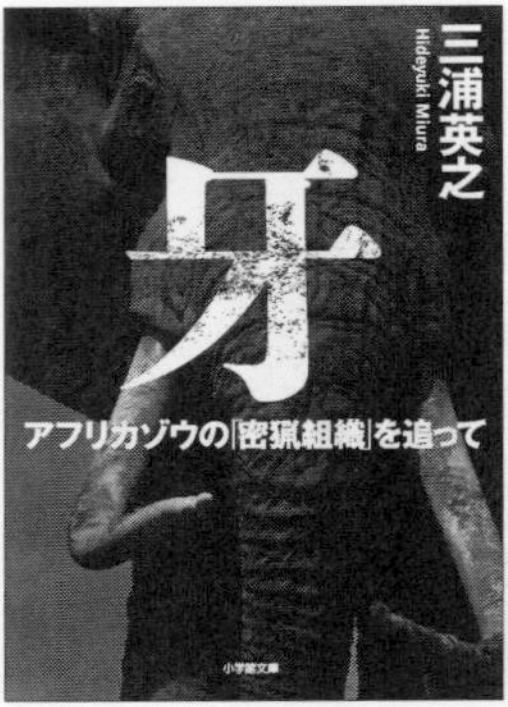


# 牙

アフリカゾウの「密猟組織」を追って

三浦英之

ISBN978-4-09-407097-2

年間３万頭以上のアフリカゾウが、牙を抉り取られて虐殺されている。象牙の密猟組織の凄惨な犯行により、野生のゾウは今後十数年以内に地球上から姿を消してしまうと言われる。

元アフリカ特派員の筆者は、密猟で動くカネが過激派テロリストの資金源になっている実態に迫り、背後に蠢く中国の巨大な影を見つける。そして問題は、象牙の印鑑を重宝する私たち日本人へと繋がっていく。密猟組織のドン、過激派テロリスト、中国大使館員、日本の象牙業者。虐殺の「真犯人」とは誰なのか——。第25回「小学館ノンフィクション大賞」受賞作。

# サカナとヤクザ

暴力団の巨大資金源
「密漁ビジネス」を追う

鈴木智彦

ISBN978-4-09-407052-1

アワビ、ウナギ、ウニ、サケ、ナマコ……「高級魚（サカナ）を食べると暴力団（ヤクザ）が儲かる」という食品業界最大のタブーを暴く。築地市場から密漁団まで５年に及ぶ潜入ルポは刊行時、大きな反響を呼んだが、文庫化にあたってさらに「サカナとヤクザ」の歴史と現状を追加取材。新章「〝魚河岸の守護神〟 佃政の数奇な人生」「密漁社会のマラドーナは生きていた」を書き下ろした。

文庫解説は『モテキ』『バクマン。』で知られる演出家・映画監督の大根仁氏。本作はノンフィクションというジャンルを超えて各界から絶賛されている。

**小学館文庫**
好評既刊

## 安楽死を遂げるまで

宮下洋一

ISBN978-4-09-407027-9

欧州各国で、俄に安楽死合法化の気運が高まりつつある。安らかに逝く――その柔らかな響きに、欧州在住の筆者は当初懐疑的だった。スイスの安楽死団体でその「瞬間」に立ち会い、アメリカやオランダで医師や遺族を取材する中で、死に対する考えを深めていく。文庫解説で武田砂鉄氏はこう書く。〈本書から繰り返し聞こえてくる著者の吐息は、安心感なのか戸惑いなのか疲弊なのか、読者はもちろん、それは著者自身にも分からないのではないか。死にゆく様を見届けた揺らぎが、そのまま読者に届く〉。読後、あなたは自らに問うはずだ。私はどう死にたいのか、と。

**小学館文庫**
好評既刊

# もう時効だから、すべて話そうか
## 重大事件ここだけの話

一橋文哉

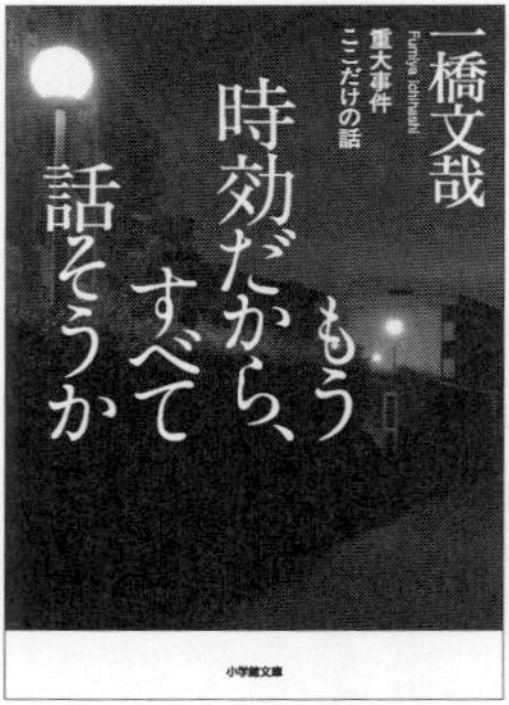


ISBN978-4-09-407011-8

殺人、未解決事件や、闇社会が絡んだ経済犯罪などをテーマに、ノンフィクション作品を次々と発表してきた〝覆面ジャーナリスト〟一橋文哉氏。著者の原点となったグリコ森永事件から、三億円強奪、酒鬼薔薇聖斗、オウム真理教、和歌山毒カレー、尼崎連続変死、世田谷一家惨殺、餃子の王将社長射殺、そして清原和博覚せい剤、山口組分裂まで、著者しか知り得ない事件の独自ネタや、警察・司法の体質など事件の背景、社会の闇など、今だからこそ語れる話が次々と明かされる。さらに、特ダネをとる取材方法や失敗エピソードもあり、著者の既刊にはない魅力が満載の一冊。

**小学館文庫**
**好評既刊**

# 救出

## 3・11気仙沼公民館に取り残された446人

猪瀬直樹

ISBN978-4-09-406878-8

「火の海　ダメかも　がんばる」。2011年３月11日、気仙沼。津波とともに燃え盛る重油が公民館を取り囲んだ。避難民たちは孤立無援となる。ひとりの女性がスマホの電池の残量を気にしながら打った冒頭のメールがロンドンの息子に届いた。息子は救助を求める文面を必死に考え、発信した。このツイッター140文字が「偶然という名の必然」により東京のある零細企業の社長経由で東京都副知事に繋がり、東京消防庁のヘリが救出に飛び立った！　災害救助の「永遠のケーススタディ」となるべき奇跡の物語。

小学館文庫
好評既刊

# 荒野の古本屋

森岡督行

ISBN978-4-09-406861-0

前代未聞の「一冊の本だけを売る書店」として、国内はもとより海外からの注目も集める銀座・森岡書店。そんな型破りな店の誕生前夜の物語。散歩と読書三昧の青年が神田神保町の老舗古書店に飛び込み、波乱の修業時代を経て、個性的な古書店を開業、成功させるまでをリリカルに描く。

「見渡すかぎりの荒れ地。風はそのあいだを土煙を巻いて、侘びしく吹き抜けた。住所はさしずめ東京都中央区無番地といったところだろう。私はそこに古本屋を開いてしまった」(本文より)。本を愛する人、書店を開いてみたい人、書店に関わる人すべて必読の一冊。解説はエッセイストの酒井順子さん。

―――本書のプロフィール―――

本書は、一九九八年十二月に株式会社致知出版社より刊行された同名の単行本を文庫化したものです。

小学館文庫

孫娘《まごむすめ》からの質問状《しつもんじょう》
おじいちゃん戦争《せんそう》のことを教《おし》えて

著者 中條高徳《なかじょうたかのり》

二〇〇二年九月一日 初版第一刷発行
二〇二五年七月二十三日 第十五刷発行

発行人 石川和男
発行所 株式会社 小学館
〒一〇一－八〇〇一
東京都千代田区一ツ橋二－三－一
電話 編集〇三－三二三〇－五一一二
販売〇三－五二八一－三五五五
印刷所――TOPPANクロレ株式会社



この文庫の詳しい内容はインターネットでご覧になれます。
小学館公式ホームページ https://www.shogakukan.co.jp


ISBN4-09-403006-9